CIAO!

Primo libro

Michael Buckby, project co-ordinator
director of Language Teaching Centre
University of York

Jenny Jackson, principal author
recently teacher of Italian, Bedfordshire

Kathy Wicksteed, co-author
teacher of Italian, Islington

John Israel, co-author
teacher of Italian, Brussels

Nelson

Thomas Nelson and Sons Ltd
Nelson House   Mayfield Road
Walton-on-Thames   Surrey
KT12 5PL   UK

51 York Place
Edinburgh
EH1 3JD   UK

Thomas Nelson (Hong Kong) Ltd
Toppan Building 10/F
22A Westlands Road
Quarry Bay   Hong Kong

Thomas Nelson Australia
480 La Trobe Street
Melbourne   Victoria 3000
Australia

Nelson Canada
1120 Birchmount Road
Scarborough   Ontario
M1K 5G4   Canada

© Language Teaching Centre, University of York 1990

First published by Thomas Nelson and Sons Ltd 1990

ISBN 0-17-439224-9
NPN 9 8 7 6 5 4 3 2 1

Printed in Hong Kong.

Acknowledgements

The authors and publishers would like to thank the following for permission
to use their material:

La Raccolta Enigmistica pp.26, 30
The Mawdsley Consultancy p.8

Photographs
Jenny Jackson: p.6 (top), p.7 (top), p.19 (bottom left), pp.40–41 (top), p.73
              (bottom left)
Mick Hornsby: p.6 (Villa Adriana), p.7 (bottom right)
Paul Beranek: p.6 (Todi)
Alex Bridgland: p.9 (top left)
Diana Hornsby: p.66
Chris Ridgers: p.13, p.38 (top right), p.40 (bottom right).
              p.60 (bottom left), p.72 (English boy and girl,
              p.92, p.93, p.94
Fiabilandia: p.19 (middle right)
Italia in Miniatura: p.19 (bottom right)
Frederico Compatangelo: p.20 (top and bottom left)
Gaetano Fresolone: p.20 (top right)
Leopoldo Roncaglia: p.85

All other photographs: David Simson

Illustrations
Susannah English: pp.18, 28, 44, 71, 73, 74, 76, 80, 93
Maureen Flaherty: pp.12, 45, 52, 54, 55, 59, 60, 61, 62, 81, 87, 88, 91, 92, 95,
              99, 104, 105, 106, 107
Ian Foulis & Associates: all maps (except pp.6–7) and diagrams
Gabrielle Morton: chapter heads, p.38
Caroline Smith: p.11, 61, 81
Lyn O'Neill: pp.6–7, symbols, pp.38, 43, 51, 56, 98, 99, 108, 109

The authors and publishers would like to thank Signor Donati of the Azienda
di Promozione Turistica, Anna di Blasio and Fiorella Gaggi-Garonetti for all
they did to facilitate the taking of photographs in Rimini, and Sol Garson,
Chris Lackey and the pupils of North Westminster Community School,
London for their help with the photographs taken in their school.

Thanks are also due to Dr Silvana Quadri and Angela Vegliante of the Italian
Institute, London, Lella Seccatore, Donatella Pescatori and Lorella Martini for
all their help in checking the manuscript.

Every effort has been made to trace all copyright holders, but the publishers
will be pleased to make the necessary arrangements if there have been any
omissions.

INDICE

Buongiorno!

📷 Here are some of the things you will be able to do in the first stages of Ciao!:

I. Ask for maps and information at the Tourist Information Office.

3. Meet Italians of your own age and arrange activities together.

2. Buy food for a picnic.

4. Order something to drink.

5. Buy stamps and post letters and cards.

You will also:

7. Know what it is like in an Italian school.

6. Buy ice creams and snacks.

8. Feel at home in an Italian family.

Buongiorno, buonasera o ciao?

Quando si dice 'Buongiorno'? Quando si dice 'Buonasera'?
A chi si dice 'Ciao'?
Can you work out when you say 'Buongiorno' and 'Buonasera'?
Who can you say 'Ciao' to?

Made in Italy

A quali prodotti italiani ci fanno pensare queste marche di fabbrica?
What products do you associate with these Italian brand names?

Barilla

Alfa Romeo

CREMA BEL PAESE

Tu fino a cent'anni, io fino a novantanove: il mio
cuore non cambierà: né il tuo, prego...
Toi jusqu'à cent ans, moi jusqu'à quatre-vingt
dix-neuf: mon coeur n'aura pas changé: ni le tien,
je t'en prie...
You to be a hundred, I to be ninety-nine: my
heart won't change: neither yours, please...
(Ancient geisha song)

Baci PERUGINA

ARISTON

Alitalia

AgipPetroli
Uno stile italiano.

INNOCENTI

BRUNO MAGLI
BRUNO MAGLI S.p.A. - BOLOGNA - ITALIA

GIORGIO ARMANI

olivetti

MADE in ITALY

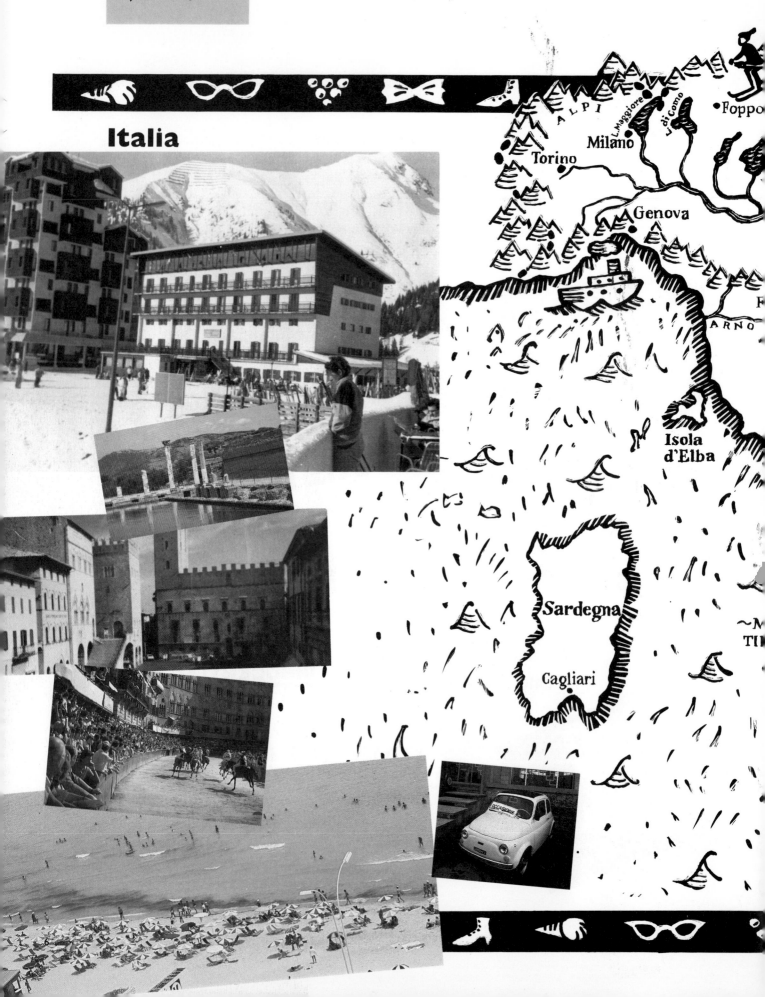

Italia

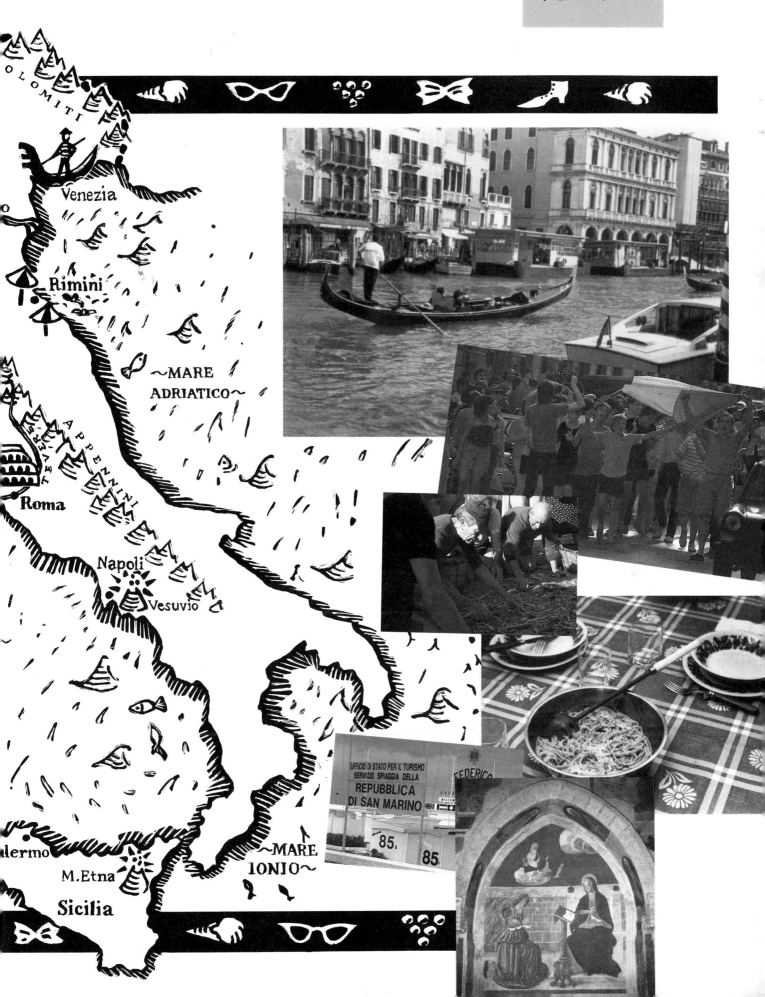

▶ Come ti chiami?

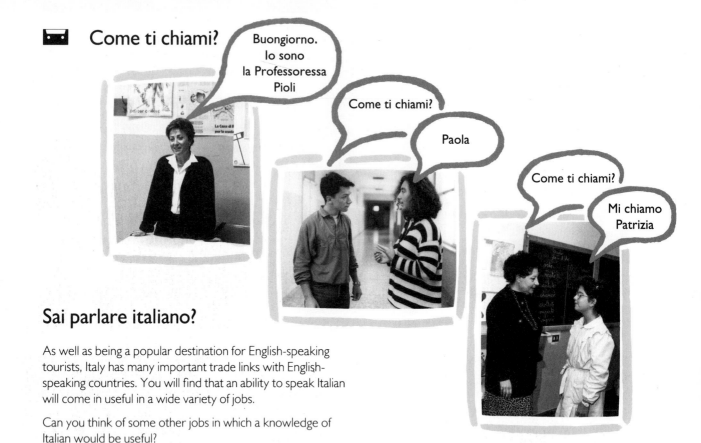

> Buongiorno.
> Io sono
> la Professoressa
> Pioli

> Come ti chiami?

> Paola

> Come ti chiami?

> Mi chiamo
> Patrizia

Sai parlare italiano?

As well as being a popular destination for English-speaking tourists, Italy has many important trade links with English-speaking countries. You will find that an ability to speak Italian will come in useful in a wide variety of jobs.

Can you think of some other jobs in which a knowledge of Italian would be useful?

1.

Facciamo le presentazioni

Ascolta queste conversazioni e trova la fotografia adatta.
Which conversation on tape goes with each of the photos below?

4.

2.

5.

3.

6.

Ti presento ● ● ●

Ora sai

Now you know

how to say hello	Buongiorno.
	Buonasera, professoressa.
	Ciao, Angelo.
how to say what your name is	Mi chiamo Jo Watts.
how to ask someone their name	Come ti chiami?
how to introduce yourself	Io sono Alison Busvine.
how to introduce one friend to another	Dale, ti presento Judith.
how to say you are pleased to meet someone	Piacere.
how to say goodbye	Arrivederci.
	Ciao.

The more you hear and speak Italian, the quicker you will learn it. In this unit you will learn how to find out what different things are called in Italian and you will learn a number of phrases which will help to make understanding Italian easy.

Try to speak Italian as much as you can with your teacher and other people in your class.

I numeri

I numeri sono importanti.
Numbers are important.

Ecco i numeri da zero a dodici.
Here are the numbers from nought to twelve.

zero	0					
uno	1	cinque	5	nove	9	
due	2	sei	6	dieci	10	
tre	3	sette	7	undici	11	
quattro	4	otto	8	dodici	12	

Perché sono importanti?
Why are they important?

Guarda queste figure.
Look at these illustrations.

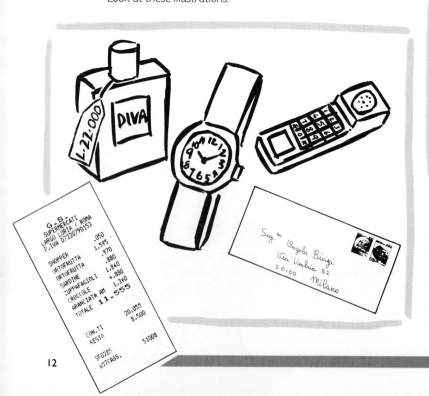

Come si dice. . .?

Ecco alcune frasi utili:
Here are some useful phrases:

Come si dice 'eleven' in italiano?	What's the Italian for 'eleven'?
Cosa vuol dire 'dodici' in inglese?	What does 'dodici' mean in English?
Può ripetere? Non è molto chiaro.	Could you say that again, please? I didn't quite catch that.

Ascolta questi ragazzi italiani.
Listen to these Italian students.

Ora, fa' delle domande simili al tuo professore/alla tua professoressa.
Now, ask your teacher some similar questions.

Esempio:

Professoressa, come si dice 'a biro' in italiano?
Professore, come si dice 'a sheet of paper' in italiano?

Frasi importanti

Ecco altre frasi utili:
Here are some more useful phrases:

Può parlare più lentamente, per favore?	Could you speak more slowly, please? (when asking your teacher)
Posso andare in bagno?	May I go to the toilet?
Ha il mio quaderno?	Have you got my exercise book? (when asking your teacher)

Non ho capito.	I don't understand.
Non mi ricordo.	I can't remember.
Non lo so.	I don't know.
Ho finito.	I've finished.
Non ho finito.	I haven't finished.

Non ho una penna.	I haven't got a pen.
Hai una matita?	Have you got a pencil? (when asking a friend)
Posso?	May I?

Non mi ricordo

È importante parlare italiano in classe.
It's important to speak Italian in class.

I can't remember how to say 'felt-tip' in Italian

Come si dice 'felt-tip' in italiano?

1. I wish she wouldn't talk so fast

2. I need to go to the toilet

3. I've still got two questions left to answer

4. I reckon he must have my exercise book

5. I suppose I could see if she's got a pencil I could borrow

6. I wish he'd say that again. I'm not sure what he means

7. I must have left my pen at home

8. I can't remember what that means

9. I wonder what the word for ruler is in Italian

10. I've done that exercise now

Che cosa devono dire?
What should each of these people say?

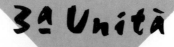

3ª Unità
ALL'UFFICIO TURISTICO

There are many really interesting places to visit in Italy – places high in the mountains, places by the sea, lively holiday centres and beautiful old cities where traditions still live on.

*One of the ways to find out about places to visit, things to do and places to stay is to go to the **Ufficio Turistico**.*

Here you can get maps, leaflets, brochures, information and, sometimes, free posters.

In this unit, you will learn how to ask for these things and to find out about some of the places in town.

L'Ufficio Turistico

Ci sono diversi nomi per l'**Ufficio Turistico**.
*There are different names for the **Ufficio Turistico**.*

Avete delle informazioni su Rimini, per favore?

Ecco delle cose che si possono richiedere.
Here are some things you can ask for.

3. una lista dei campeggi

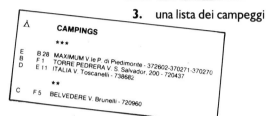

A
CAMPINGS
★★★

E	B 28	MAXIMUM V.le P. di Piedimonte - 372602-370271-370270
B	F 1	TORRE PEDRERA V. S. Salvador, 200 - 720437
D	E 11	ITALIA V. Toscanelli - 738682

★★

| C | F 5 | BELVEDERE V. Brunelli - 720960 |

RIMINI

Pianta della città
con alberghi

Plan de la ville
avec hôtels

Map of the town
with hotels

Stadtplan mit Hotels

1 : 10.000

AZIENDA DI PROMOZIONE TURISTICA -
KURVERWALTUNG
TOURIST BOARD - SYNDICAT D'INITIATIVE

1. una pianta di Rimini

4. una lista delle pizzerie

PIZZERIE
Antica Fattoria The Windmill - bus stop 25 - via Nervi 2 angolo via Mantova, tel. 377366. Pizza gigante, specialità pesce. Live music.
Rapallo - bus stop 24 - v.le R. Margherita 77, tel. 372531. Specialità pesce e pizza. Aperto fino alle 5.00 di mattina.
Da Walter - bus stop 22 - via Rimembranze 99, tel. 375058. Pizzeria, ristorante, specialità di pesce. Aperto fino alle 5.00.
Holiday - bus stop 21/22 - v.le R. Elena 223, tel. 385303. Specialità cucina casalinga. Aperto fino al mattino.

DISCOTECHE
Am'Arcord, Viserba, v. Lamarmora, tel. 734109
Bahamas Club, v. Schubert 5, tel. 24422
Carnaby Club, Rivazzurra, v. Brindisi 20, tel. 373204
Cellophane Club, Miramare, v. Principe Piemonte 2, tel. 372183
Charlie Brown, Torre Pedrera, v. S. Salvador 28, tel. 720088
La Mecca, v. Fontanina 29, tel. 751613
Las Vegas, v. Beccadelli 2, tel. 50286
Le Bistroquet, v. Battara, tel. 22850
Life Club Discoteca, vl. Regina Margherita 11, tel. 373473
Meeting, v. Weber 6, tel. 51305
Paradiso, v. Covignano 260, tel. 751132
Rambo, Viserba, v. Porto Palos 34, tel. 734525

2. una lista delle discoteche

5. un dépliant su Rimini con una lista dei monumenti

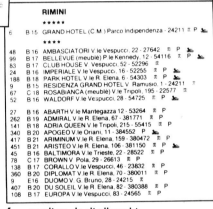

RIMINI
★★★★★

| 6 | B 15 | GRAND HOTEL (C.M.) Parco Indipendenza - 24211 | 🅿 |

★★★★

48	B 16	AMBASCIATORI V.le Vespucci, 22 - 27642	🅿
99	B 17	BELLEVUE (meublé) P.le Kennedy, 12 - 54116	🅿
83	B 17	CLUB HOUSE V. Vespucci, 52 - 52296	
24	B 16	IMPERIALE V.le Vespucci, 16 - 52255	🅿
188	B 18	PARK HOTEL V.le R. Elena, 6 - 54303	
9	B 15	RESIDENZA GRAND HOTEL V. Ramusio, 1 - 24211	
67	C 18	ROSABIANCA (meublé) V.le Tripoli, 195 - 22577	
52	B 16	WALDORF V.le Vespucci, 28 - 54725	🅿

27	B 16	ABARTH V.le Mantegazza 12 - 53264	
262	B 19	ADMIRAL V.le R. Elena, 67 - 381771	🅿
141	B 18	ADRIA QUEEN V.le Tripoli, 215 - 55415	🅿
340	B 20	APOGEO V.le Oriani, 11 - 384552	
417	B 21	ARIMINUM V.le R. Elena, 159 - 380472	🅿
451	B 21	ARISTEO V.le R. Elena, 106 - 381150	🅿
45	B 16	BALTIMORA V.le Trieste, 22 - 28522	🅿
78	C 17	BROWN V. Pola, 29 - 26613	🅿
138	B 17	CORALLO V.le Vespucci, 46 - 23832	🅿
360	B 20	DIPLOMAT V.le R. Elena, 70 - 380011	🅿
9	E 16	DUOMO V. G. Bruno, 28 - 24215	
407	B 20	DU SOLEIL V.le R. Elena, 82 - 380388	🅿
108	B 17	EUROPA V.le Vespucci, 83 - 24565	🅿

6. una lista degli alberghi

Buongiorno. Mi dica!

Leggi questo dialogo con un(a) partner.
Read this dialogue with a partner.

A: Buongiorno.
B: Buongiorno. Mi dica!
A: Avete una pianta di Rimini, per favore?
B: Sì. Tenga.
A: Grazie. Arrivederci.
B: Arrivederci.

Adesso provate a fare un dialogo per ciascuna delle cose qui sopra.
Now take it in turns to ask for all the things illustrated above.

Una pianta di Rimini

 Ascolta queste persone.
Listen to these people.

Dove vogliono andare?
Where do they want to go?

Dov'è esattamente?
Where is it exactly?

Dov'è l'ufficio postale?

Lavora con un(a) partner.

A fa una domanda.
B indica il numero giusto sulla pianta.

Take it in turns to ask where these places are on the map. Your partner will point to each place on the map and tell you which number he/she is referring to.

Esempio:

Turista: Senta...dov'è l'ufficio postale, per favore?
Impiegata: L'ufficio postale è qui. Il numero tre.
Turista: Grazie.
Impiegata: Prego.

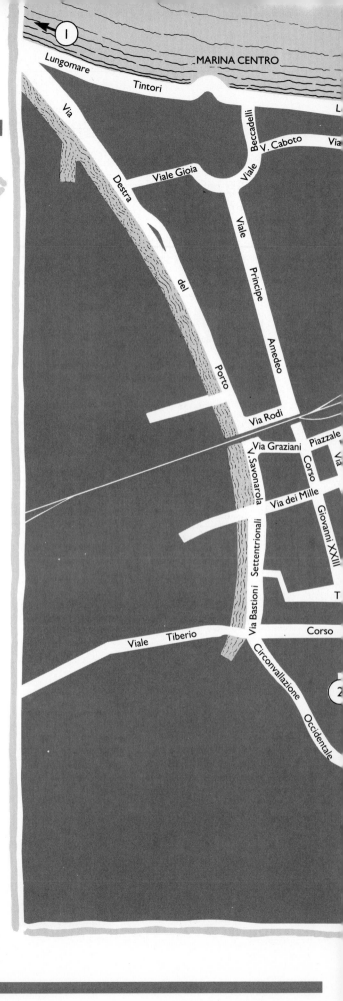

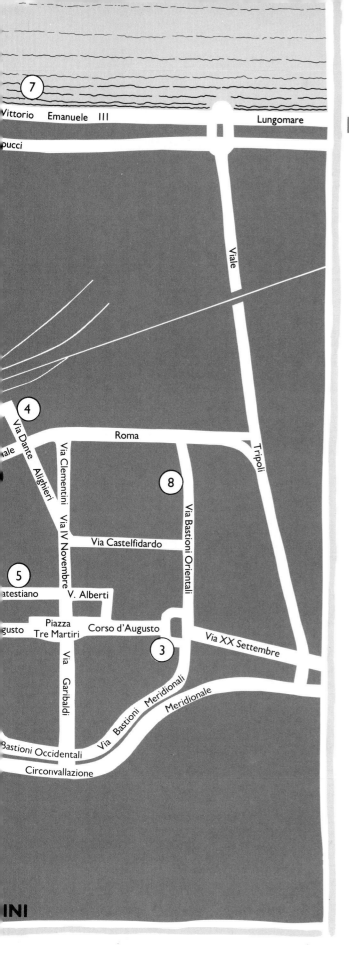

Il bar? È qui.

Metti il nome con il simbolo giusto.
Match each place name with the right symbol.

STANDA

1.

MARINA CENTRO

3.

BELLAVISTA

il bar
il supermercato
il parco
l'albergo

OASI

2.

4.

A: Buongiorno.
B: *(Say hello and ask where one of the four places is.)*
A: *(Repeat the name of the place.)* È qui.
(Point to the right symbol.)
B: Grazie mille.

1		il campeggio
2		il mercato
3		l'ufficio postale
4		l' Ufficio Turistico
5		la pizzeria
6		la discoteca
7		la spiaggia
8		la banca

RIMINI

A Rimini c'è...

Rimini is an exciting holiday resort with plenty of places to visit and many different things to do. It is more than 2000 years old and was an important centre in Roman times. Some Roman monuments can still be seen today, but Rimini is probably better known for its beach, its shops and its many tourist attractions.

You have picked up a leaflet on Rimini from the **Ufficio Turistico**. People in your party are discussing what to do and where to go. Help them out and give them as much information as you can.

Example:

> It's too hot. Tomorrow I'm going to stay out of the sun but I don't want to stay in the hotel

There are several things you could do indoors. How about going to the museum or the cathedral? The museum is open from 9.30–12.30. It costs 5000 lire to get in. The cathedral is also known as the **Tempio Malatestiano**.

1.
> How about walking the length of the beach?

2.
> Why is there a photo of dolphins in the brochure?

3.
> It's a shame we haven't got time to see the sights of Rome or Florence and Venice!

4.
> What could we do after supper? I've had enough of discos

5.
> What is there to do in the old town?

6.
> **Fiabilandia** looks good fun. Is it 1000 lire to get in or 1000 lire for each ride?

7.
> When did you say Mini Italy is open?

8.
> I was thinking about going to the museum this afternoon

1. L'Arco d'Augusto
Monumento romano, simbolo della città di Rimini, costruito in onore di Augusto.

2. Il museo
Il museo civico, aperto dalle 9.30 alle 12.30. Entrata: 5000 lire.

3. Il castello
Questo castello reale si chiama 'il castel Sismondo'.

4. Il duomo
Costruito da Leon Battista Alberti, si chiama 'Il Tempio Malatestiano'. Aperto dalle 7 alle 12 e dalle 15.30 alle 19, dal 10 aprile al 1° ottobre.

6. L'Acquarium Delfini
Entrata: 6000 lire
Spettacoli: 16.45, 18.00, 21.30, 22.30
Bus ATAM n. 10/11/7 Stop 10

7. Fiabilandia
Aperta dalle 9.30 alle 24.00.
Un giro costa 1000 lire.
Rivazzurra Bus ATAM n. 8/10/11 Stop 27

8. Italia in Miniatura
Entrata: 7000 lire
Aperta dalle 10 alle 20.
I monumenti italiani più importanti in miniatura.
Bus ATAM n. 8

5. La spiaggia
Splendida spiaggia con una sabbia finissima, lunga 15 chilometri.

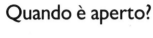

Quando è aperto?

Leggi questo avviso per sapere che cosa è aperto e quando.
Read this notice and find out when these places are open.

GRAND HOTEL

il ristorante

la spiaggia

la piscina

il piano bar

Informazioni

L'ALBERGO	aperto 24 ore
LA PISCINA	aperta dalle 10.00 alle 12.00 16.00 20.00
L'ISTITUTO DI BELLEZZA	aperta dalle 10.00 alle 13.00 15.00 18.00
LA DISCOTECA La Dolce Vita	aperta dalle 21.00 alle 02.00
IL PIANO BAR	aperto dalle 20.00 alle 24.00
IL RISTORANTE	aperto dalle 12.00 alle 15.00 19.00 22.00
LA SPIAGGIA (privata)	aperta dalle 10.00

Orario d'apertura ○
Orario di chiusura ▲

In Italy

Banks are usually open in the morning from 08.30 to 13.20.

Shops such as supermarkets are open from 08.30 to 13.00 and from 15.30 to 19.30.

Post Offices are open from 08.00 to 13.30, Monday–Friday.

Museums are open from 09.00 to 13.00.

Tourist Information Offices are open from 09.00 to 12.00 and from 16.00 to 19.00.

Bars are open from 07.00 to 01.00.

Discos are usually open from 20.00 to 02.00.

Are there any differences between opening times in Italy and opening times in your country?

The information above gives you a general idea of typical opening hours. These will vary slightly from place to place. Look at the information below. Do these places in Rimini open at the times suggested above or are there differences?

1.
UFFICIO POSTALE
CASSA ORARIO

Lunedì/Venerdì
8.10 - 13.30

2.
BANCA POPOLARE PESARESE
08.30 -13.30

3.
AZIENDA DI PROMOZIONE TURISTICA
Miramare di Rimini
Viale Martinelli, 11/a ☎ 372112
○ 8.00 ▲ 14.00, ○ 16.00 ▲ 22.00

5.
SUPERMERCATI CONAD
Dalle ore **8.30** alle ore **12.30**
Dalle ore **16.00** alle ore **20.00**

4.
Bar Gelateria Oasi
10.30 - 03.00

6.
MUSEO CIVICO
V. Tempio Malatestiano, tel 704320
OR.: 9.30 - 12.30; chiuso lunedì

7.
DISCOTECA BAHAMAS CLUB
Lungomare Porto di Rimini
☎ 24422
○ 21.30 ▲ 04.00
♪ DISCOMUSIC BUS ATAM 10/11

Adesso, tocca a te!

Lavora con un(a) partner.
Work with a partner.

1.

Imagine that you are on holiday in Rimini and that you want to find out more about the town. **A** goes to the **Ufficio Turistico** and asks for three items from the list below:

> a list of hotels
> a list of campsites
> a map of Rimini
> a list of discos
> a list of pizzerias
> a leaflet about Rimini.

Then change roles. **B** must ask for the remaining items on the list. Write down the names of the items your partner asks for.

2.

You each want to find out where four places are located on the map.

A	B
castle	museum
swimming pool	beach
market	supermarket
pizzeria	disco

Take it in turns to ask where each place is and to point out the places your partner is looking for on the map.

3.

Now listen to these people asking for information at the **Ufficio Turistico**. Write down the opening times that are mentioned for any of the places you asked about in **2**.

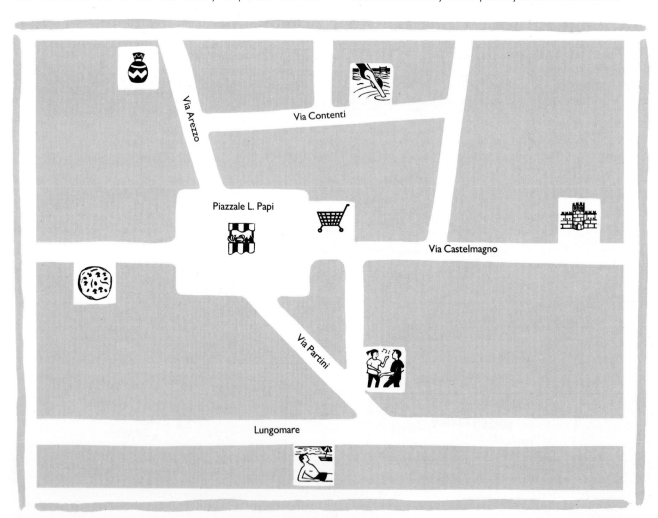

Ora sai

Now you know

how to ask for leaflets and brochures

Avete una pianta di Rimini?

Avete una lista degli alberghi?

dei campeggi?

delle pizzerie?

delle discoteche?

Avete un dépliant su Rimini con una lista dei monumenti?

how to say please and thank you

per favore

grazie

how to ask where places are

Dov'è la spiaggia, per favore?

Dov'è l'ufficio postale, per favore?

how to understand simple facts in brochures

aperto dalle 9 alle 13

Entrata: 5000 lire

how to ask when a place is open

Il museo, quando è aperto?

La banca, quando è aperta?

the names of some places in town

il campeggio	il bar
il mercato	il supermercato
l'ufficio postale	il parco
l'Ufficio Turistico	l'albergo
la pizzeria	il museo
la discoteca	il castello
la spiaggia	il duomo
la banca	la piscina

It is not always easy to see from a map or town plan where a particular place actually is. It is often quicker and easier to ask someone to give you directions to the place you are looking for.

In this unit you will learn to find your way round an Italian town by asking the local people. You will be able to understand useful explanations and directions and be able to give directions to Italian visitors to this country.

Frasi importanti

Queste frasi ti aiuteranno a capire le conversazioni qui sotto.
These phrases will help you understand the conversations below.

Scusi, per favore... Scusi, ...	Excuse me...
Mi sa dire dov'è il mercato, per favore?	Could you tell me where the market is, please?
Mi sa dire dov'è l'Ufficio Turistico, per favore?	Could you tell me where the tourist information office is, please?
Mi sa dire dov'è la piscina, per favore?	Could you tell me where the swimming pool is, please?
No. Mi dispiace, non lo so.	No, I'm sorry, I don't know.
Sì. È lì.	Yes, it's over there.
Sì. È qui.	Yes, it's right here.

> Scusi, per favore ... Mi sa dire dov'è la discoteca Paradiso?

> No. Mi dispiace, non lo so

> Scusi, per favore... Mi sa dire dov'è l'ufficio postale?

> Sì. È qui

> Scusi ... Mi sa dire dov'è il supermercato Standa, per favore?

> Sì. È lì

Questa ragazza cerca il museo. Inventa una conversazione per questa foto.
This girl is looking for the museum. Make up a conversation to go with the photo.

Più precisamente

SINISTRA | DESTRA

Scusi...mi sa dire dov'è l'ufficio postale, per favore?

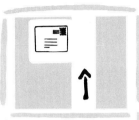

Sì, è lì; sulla sinistra.

Scusi, per favore... mi sa dire dov'è il museo?

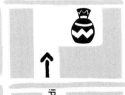

Sì, è lì; sulla destra.

Scusi...mi sa dire dov'è la discoteca Paradiso, per favore?

Sì, è in Via Rinaldi, sulla destra.

Scusi, per favore...mi sa dire dov'è il supermercato Standa?

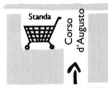

Sì, è in Corso d'Augusto, sulla sinistra.

Lavora con un(a) partner.
Work with a partner.

Fate un dialogo per ciascuno dei disegni qui sotto.
Make up a dialogue for each of the pictures below.

A fa una domanda.
asks a question.

B risponde secondo il disegno.
answers according to the picture.

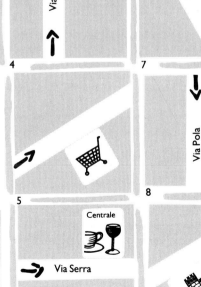

Esempio:

A: Scusi, mi sa dire dov'è il museo, per favore?

B: Sì, è lì sulla sinistra.

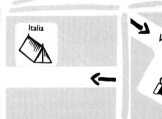

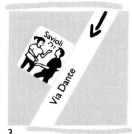

Trova la domanda giusta

Guarda bene questa pianta di Rimini.
Look at this map of Rimini carefully.

Per ogni risposta trova la domanda giusta.
Work out a suitable question for each reply.

Esempio:
— Scusi, per favore. . .Mi sa dire dov'è l'albergo 'Villa Merope'?

– È in
Via Dante,
sulla sinistra.

8.
È in
Via IV Novembre,
sulla sinistra.

1.
È qui,
in Piazza Cavour.

2.
È in
Piazzale
Battisti,
sulla destra.

3.
È in
Via Tempio
Malatestiano
sulla sinistra.

4.
È in
Piazza Tre Martiri.

7.
È in
Piazzale
Giulio Cesare.

6.
È in
Corso d'Augusto,
sulla destra.

5.
È in
Via Battara,
sulla sinistra.

– Scusi, è questa «Via degli angeli»?

Le strade di Rimini

If someone directs you to a particular street, it is helpful to have some idea of the kind of street it is likely to be; whether it's likely to be a main shopping street or a square, for example.

Guarda bene queste fotografie:
Look carefully at these photos:

Ecco alcuni nomi di strade a Rimini.
Here are the names of some of the streets in Rimini.

Look at these street names. Can you find out what they are named after?

What are streets in your town named after?

C'è un albergo qui vicino?

It may take some time to find out where everything is in the town, but it is easy to ask if a certain place is nearby.

What would each of the people below say in order to find out if the places they need are nearby?

1. I must change some money before the weekend

2. We'll have to do some shopping if you want to go on a picnic

3. I must ring my parents to let them know everything's OK

4. I'm beginning to feel quite hungry

5. It's getting late. We'd better look for somewhere to stay

6. I mustn't forget to buy some stamps for those postcards

A. Scusi, c'è un albergo qui vicino?

B. Scusi, per favore, c'è un telefono qui vicino?

C. Scusi, per favore, c'è un ufficio postale qui vicino?

D. Scusi, c'è un supermercato qui vicino?

E. Scusi, c'è una banca qui vicino?

F. Scusi, per favore, c'è una pizzeria qui vicino?

Prova!

Che cosa dici in queste situazioni?
What would you say in these situations?

1. I'm thirsty; it's so hot today

2. We can't afford to stay in a hotel for four nights ...

3. It's our last night of the holiday. It would be good to go out together somewhere

4. Let's find somewhere with some shade if we're going to have a picnic

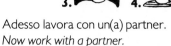

Adesso lavora con un(a) partner.
Now work with a partner.

Inventate un dialogo per ciascuna delle situazioni qui sopra.
Make up a dialogue for each of the situations above.

Esempio:
A: Scusi, per favore...c'è un bar qui vicino?
B: Sì, sulla sinistra.
A: Grazie.
B: Prego.

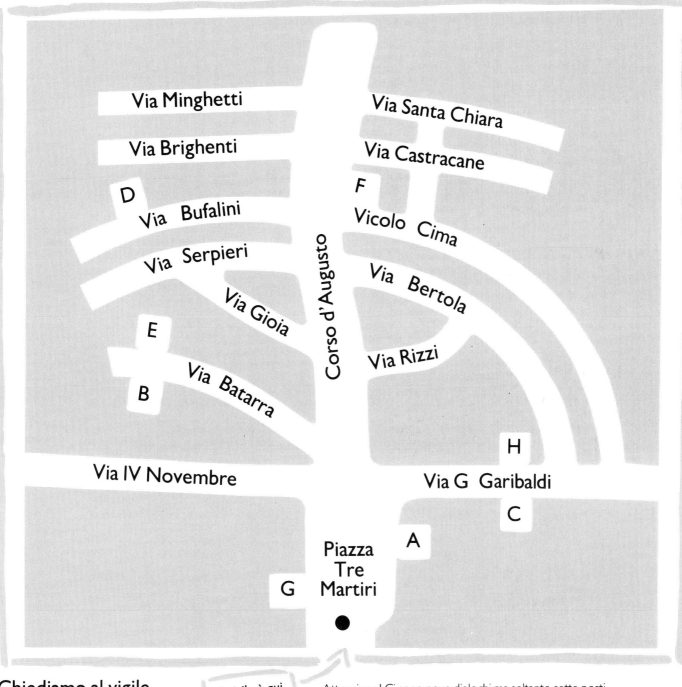

Via Minghetti

Via Brighenti

D

Via Bufalini

Via Serpieri

Via Gioia

E

B

Via Batarra

Via IV Novembre

Corso d'Augusto

Via Santa Chiara

Via Castracane

F

Vicolo Cima

Via Bertola

Via Rizzi

H

Via G Garibaldi

C

A

Piazza
Tre
Martiri

G

Chiediamo al vigile

il vigile è qui

Ascolta queste persone che cercano vari posti in città.
Trova i posti sulla pianta.
Listen to these people asking for various places in the town. Find the places on the map.

Attenzione! Ci sono nove dialoghi ma soltanto sette posti sulla pianta.
Watch out! There are nine dialogues but only seven places marked on the map.

Esempio: Banca = H

Sì, ce n'è uno in via Rizzi

Guarda bene queste domande e risposte:
Look at these questions and answers carefully:

Scusi, c'è **un** supermerca**to** qui vicino?
～ Sì, ce n'è **uno** in via Sapieri.
Scusi, per favore… c'è **un** bar qui vicino?
～ Sì, ce n'è **uno** lì, sulla sinistra.
Scusi, c'è **una** banc**a** qui vicino?
～ Sì, ce n'è **una** in via Garibaldi, sulla destra.
Scusi, c'è **una** pizzeri**a** qui vicino?
～ Sì, ce n'è **una** lì, sulla sinistra in via Rizzi.

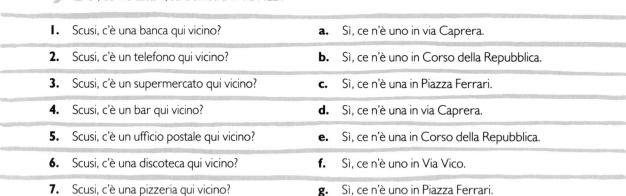

1.	Scusi, c'è una banca qui vicino?	**a.**	Sì, ce n'è uno in via Caprera.
2.	Scusi, c'è un telefono qui vicino?	**b.**	Sì, ce n'è uno in Corso della Repubblica.
3.	Scusi, c'è un supermercato qui vicino?	**c.**	Sì, ce n'è una in Piazza Ferrari.
4.	Scusi, c'è un bar qui vicino?	**d.**	Sì, ce n'è una in via Caprera.
5.	Scusi, c'è un ufficio postale qui vicino?	**e.**	Sì, ce n'è una in Corso della Repubblica.
6.	Scusi, c'è una discoteca qui vicino?	**f.**	Sì, ce n'è uno in Via Vico.
7.	Scusi, c'è una pizzeria qui vicino?	**g.**	Sì, ce n'è uno in Piazza Ferrari.

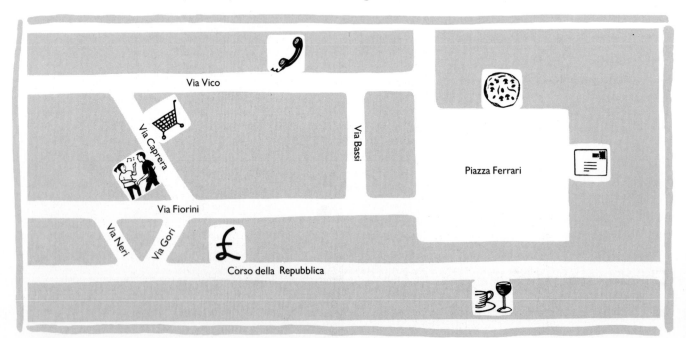

Ora guarda la pianta e metti la domanda insieme alla risposta giusta.

Now look at the map and match each question with the correct answer.

Dov'è esattamente?

Sometimes the person you ask will give you more detailed instructions for finding the place you are looking for. Look at these maps and work out the meanings of the instructions below each one.

Provate insieme

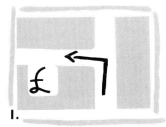

1.

Deve girare a sinistra. La Banca Commerciale è sulla sinistra.

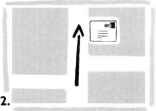

2.

Deve andare sempre dritto. L'ufficio postale è sulla destra.

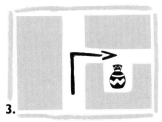

3.

Deve girare a destra. Il museo civico è sulla destra.

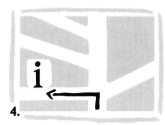

4.

Deve prendere la prima a sinistra. L'Ufficio Turistico è sulla destra.

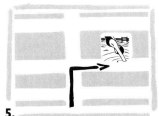

5.

Deve prendere la seconda a destra. La piscina è sulla sinistra.

6.

Deve prendere la terza a sinistra. Il supermercato Standa è sulla sinistra.

7.

Deve prendere la seconda a sinistra. Il bar Vespucci è sulla destra.

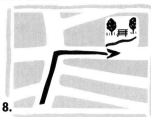

8.

Deve prendere la terza a destra. Il parco è sulla sinistra.

1. Dove va il turista?

Lavora con un(a) partner.
Work with a partner.

A spiega la strada.
gives the directions.

B indica dove va il turista.
says where the tourist is going.

Esempio:
A: Deve andare sempre dritto.
B: Il duomo.

2. Aiuta il turista

Lavora con un(a) partner.
Work with a partner.

A fa la domanda del turista.
asks the question.

B spiega la strada.
gives the directions.

Esempio:
A: Scusi, c'è una piscina qui vicino?
B: Sì. Deve prendere la seconda a sinistra.

Quante conversazioni!

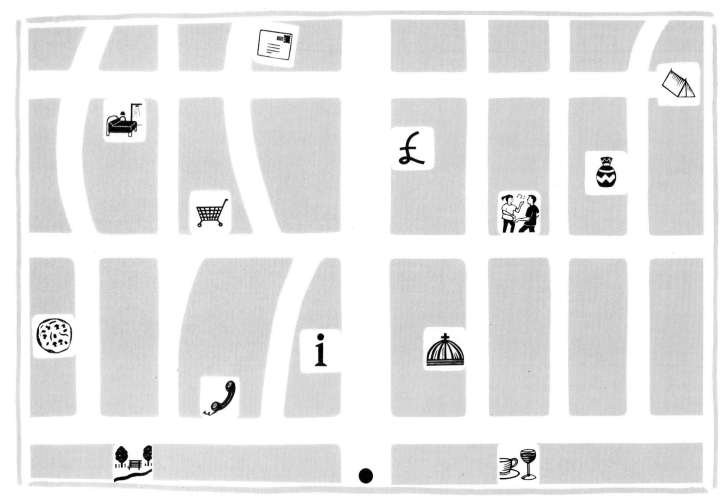

Lavora con un(a) partner. Quanti dialoghi diversi potete fare?
Work with a partner. How many different dialogues can you make up?

1. **A:** .Scusi, mi sa dire dov'è il duomo, per favore?
    B: Sì. Deve andare sempre dritto. Deve prendere la prima a destra e poi deve prendere la prima a sinistra. Il duomo è sulla sinistra.
    A: Grazie.
    B: Prego.

2. **A:** Scusi, c'è un supermercato qui vicino?
    B: Sì, deve andare sempre dritto. Deve prendere la seconda a sinistra. C'è un supermercato sulla destra.
    A: Grazie.
    B: Di niente.

Ascolta queste persone

Listen to these people asking the way to different places on the map. The person giving them directions thought that
    one of them was rather rude,
    one of them sounded rather anxious,
    one of them sounded like a foreign tourist and
    one of them was not very good at following the directions.

Can you identify each of these people as you listen to the four dialogues on tape?

È accanto al bar

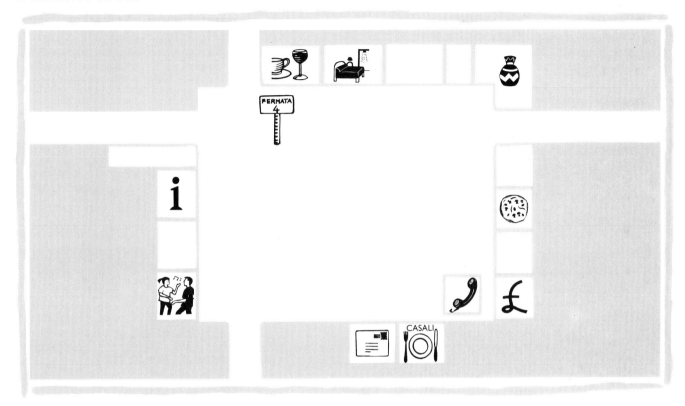

Trova il significato di queste frasi:
Work out the meaning of these phrases:

> davanti a
> vicino a
> accanto a
> di fronte a

Guarda bene la pianta e poi leggi le frasi qui sotto.
Look carefully at the map and then read the sentences below.

La fermata dell'autobus è **davanti al** bar.
Il bar è **accanto all'**albergo.
La discoteca è **vicino all'**Ufficio Turistico.
L'albergo è **di fronte all'**ufficio postale.
L'ufficio postale è **accanto al** ristorante Casali.
Il telefono è **davanti alla** banca.
L'Ufficio Turistico è **di fronte alla** pizzeria.
Il ristorante Casali è **vicino alla** banca.

Le mattonelle

Metti in ordine queste mattonelle e poi trova la risposta
nascosta a questa domanda.
Domanda: Mi sa dire dov'è l'ufficio postale?
Put these jigsaw pieces in order and find the hidden answer.

TRA   ECO   DEV

NIS   END

LAS   ASI   EPR

ERE   NDA

4ª Unità

Adesso, tocca a te!

1.

Whilst on holiday in Rimini, you decide to visit the historic city centre. Work with a partner. Take it in turns to attract the other's attention and to ask where the places below are. Write down the name of the street your partner gives you. The person giving the directions should look at the map on page 26.

Esempio:

A Scusi, per favore...mi sa dire dov'è il supermercato Standa?

B (*Consults map*) Sì, è in Viale Vespucci.

A Può ripetere, per favore, non è molto chiaro.

B Sì, è in Viale Vespucci.

A Grazie. (*Writes down: Viale Vespucci*)

A asks where the cathedral is
asks where the post office is

B asks where the museum is
asks where the market is

Via IV novembre   Via Tempio Malatestiano

Piazza Cavour   Piazzale Cesare

2.

During your holiday in Italy:

A needs to change some money
decides to go out for a drink with some friends

B needs to buy some food and drink for a picnic
needs to phone home

Work with a partner and take it in turns to ask if the places you need to find are nearby. One of you should play the part of the Italian and should say where to find each place by choosing one of the sentences below.
The other should write down in English where each place is and how to get there.

The person playing the part of the Italian should choose one of these answers:

Sì, in Via Rinaldi, sulla destra, vicino all'albergo.
Sì, in Viale Trento, sulla sinistra, accanto alla piscina.
Sì, ce n'è uno/una in Via Serra, di fronte al parco.
Sì, in Via Pascoli. Deve andare sempre dritto e poi deve prendere la seconda a sinistra.
Sì, in via Patara, sulla sinistra. Deve prendere la terza a destra.

3.

Some Italian visitors to this country who speak very little English are trying to find out how to get to certain places in town. The assistant in the Tourist Information Centre speaks no Italian and so you offer to give the directions in Italian.

Work with a partner and take it in turns to give these directions in Italian.
Don't look at this page when it's your turn to listen.

A The cathedral...Turn left, go straight on, take the third road on the right, the cathedral is on the right.

A hotel? There's a hotel in Station Road. Go straight on, take the second road on the right. There's a hotel on the left.

B A bank? There's a bank in Lake Street. Turn right here. Go straight on and take the first road on the left. The bank is on the right.

The castle...Go straight on, turn left and take the second street on the right. The castle is in Tower Street.

Esempio:

Assistant	The museum is in Museum Street. Go straight on and take the first road on the right. The museum is on the right.
Tu	Il museo è in Museum Street. Deve andare sempre dritto e deve prendere la prima a destra. Il museo è sulla destra.
Partner	Museum Street. ↑ ⊣ → | ●MUSEO

4.

One of the guests at the hotel has arranged to meet some Italian friends but there has been a slight change of plan and the friends have left this note ⟹ explaining how to find the pizzeria where they are going to meet. Write down what you would explain to the guest in order to help him get to the pizzeria from the hotel.

Ora sai

Now you know

- how to attract someone's attention

  - Scusi...

    Scusi, per favore...

- how to ask where a particular place is

  - Scusi, mi sa dire dov'è il duomo, per favore?

    Scusi, per favore...c'è una pizzeria qui vicino?

- how to understand where a place is located

  - È qui, sulla destra.

    È lì, in Corso Repubblica, sulla sinistra.

    Ce n'è una in Viale Italia, vicino al parco.

    È di fronte all'Ufficio Turistico.

    Il mercato è davanti al duomo.

    L'albergo Bristol è accanto all'ufficio postale.

- how to understand and give directions

  - Deve andare sempre dritto.

    Deve girare a sinistra.

    Deve prendere la prima a destra.

    Deve prendere la seconda a sinistra.

    Deve prendere la terza a destra.

Now compare your explanation with your partner's. Do you both agree on the way to the pizzeria?

Ci troviamo "DA FABIO" è una pizzeria in Via Bertoldi. Uscendo dall'albergo devi girare a sinistra e poi devi prendere la seconda a destra. Devi continuare sempre dritto e girare a destra. La pizzeria si trova sulla destra vicino all'Ufficio Postale.

5ª Unità
PRENDIAMO L'AUTOBUS

When you visit Italy, you will want to make the most of every opportunity to see the sights, to go shopping and to enjoy yourself. You won't always want to go everywhere on foot. One of the best ways of getting around is to go by bus. Travel by bus is quick, easy and cheap.

In this unit, you will learn how to buy bus tickets and to use the bus system in Rimini.

I biglietti

In Italia, generalmente devi comprare i biglietti per l'autobus prima di prendere l'autobus.

Non è difficile comprare biglietti per l'autobus. Questo contrassegno vuol dire che vendono biglietti per l'autobus.

I biglietti si acquistano presso le biglietterie ATAM o presso gli hotel, le edicole, le tabaccherie ed i bar che espongono l'apposito contrassegno.

* Il biglietto è personale e non cedibile dopo l'obliterazione
* Vale solo se convalidato e va conservato fino al termine della corsa
* Vale anche sulla linea n. 4 gestita in pool ATAM/ATR
* L'uso irregolare comporta la sanzione di L. 15.000 (L.R. n. 4/87 art. 1)

Vale sull'intera rete urbana nel Comune di Rimini *oppure* su una delle tratte a tariffa A, e scade dopo 60 MINUTI dalla convalida.

VEDERE TARIFFARI ESPOSTI SUI BUS E NEI PUNTI DI VENDITA

Tariffa A

VALE UN VIAGGIO TARIFFA A

Ecco un biglietto per l'autobus.

Ecco un'edicola.

Ecco una tabaccheria.

Ecco la biglietteria davanti alla stazione di Rimini.

Avete biglietti per l'autobus?

Leggi questi dialoghi con un(a) partner.
Read these dialogues with a partner.

— Buongiorno.
— Buongiorno. Mi dica.
— Avete biglietti per l'autobus, per favore?
— No, mi dispiace. Per i biglietti per l'autobus, deve andare in un bar.
— C'è un bar qui vicino?
— Sì. Ce n'è uno in Via Valloni, sulla destra.
— Grazie. Arrivederci.
— Arrivederci.

— Scusi, signora. . .
— Sì.
— Mi sa dire dov'è la biglietteria, per favore?
— Sì. È lì, in fondo.
— Grazie.
— Prego.

Lavora con un(a) partner.
Work with a partner.

Inventate un dialogo per queste tre fotografie.
Make up a dialogue for these three photographs.

No, mi dispiace, non ne abbiamo qui

🔊 Ascolta queste persone che vogliono comprare biglietti per l'autobus.
Listen to these people who want to buy bus tickets.

Dove devono andare?
Where are they told to buy them?

Dove si trovano questi posti?
Where will they find these places?

Quant'è?

Guarda bene queste monete italiane,
Look at these Italian coins,

| 10 lire | 50 lire | 100 lire | 200 lire | 500 lire |
| dieci lire | cinquanta lire | cento lire | duecento lire | cinquecento lire |

e queste banconote.
and these notes.

CAMBI

	Valuta	Banconote
	24-06	23-06
DOLLARO USA	1034,90	
MARCO tedesco	742,23	1034,92
FRANCO francese	220,05	74,23
FIORINO olandese	659,93	220,06
FRANCO belga	35,464	659,93
STERLINA inglese	2185,65	35,461
STERLINA irlandese	1994,80	2185
CORONA danese	195,23	1994,70
DRACMA greca	9,271	195,22
ECU	1542,20	9,268
DOLLARO canadese	1081,10	1542,135
YEN giapponese	10,321	1081,30
FRANCO svizzero	891,78	10,321
SCELLINO austriaco	105,50	891,79
CORONA norvegese	204,65	105,51
CORONA svedese	213,99	204,74
MARCO finlandese	313,39	213,98
ESCUDO portoghese	9,102	313,47
PESETA spagnola	11,236	9,102
DINARO jugoslavo	—	11,234
DOLLARO australiano	1073,40	—
		1073,70

NUMERI NUOVI

cento	100
duecento	200
trecento	300
mille	1000
duemila	2000
tremila	3000

Vorrei un biglietto per l'autobus, per favore

You can buy bus tickets singly or you can ask for a number of tickets. If you know that you are going to be making several journeys by bus, it's a good idea to buy a block of ten tickets. In some places this may work out cheaper than ten individual tickets.

un blocchetto da dieci biglietti

Comprando biglietti per l'autobus

– Buongiorno.
– Buongiorno.

– Vorrei un blocchetto di biglietti per l'autobus, per favore. Quant'è?
– Settemila lire.

– Tenga. Settemila.
– Grazie. Ecco un blocchetto.
– Grazie. Arrivederci.
– Arrivederci.

– Buonasera.
– Buonasera. Prego?

– Vorrei un biglietto per l'autobus, per favore.
– Uno solo?
– Sì. Quant'è?
– Settecento lire.

– Ecco.
– E trecento di resto. Tenga.
– Grazie.
– Buonasera.
– Buonasera.

– Buongiorno.
– Buongiorno. Mi dà quattro biglietti per l'autobus, per favore?
– Quattro?
– Sì. Quant'è?
– Duemilaottocento lire.
– Ecco.
– Grazie. Arrivederci.
– Arrivederci.

Vorrei un blocchetto di biglietti per l'autobus, per favore

📼 Ascolta queste persone che comprano biglietti per l'autobus.
Listen to these people buying bus tickets.

Per ogni dialogo, trova il disegno giusto.
Which picture fits each dialogue?

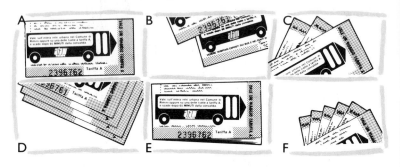

Ascolta ancora una volta. Quanto devono pagare?
Listen again. How much do they pay?

Provate insieme

Inventate un dialogo per ciascuno dei disegni qui sopra.
Make up a dialogue for each of the pictures above.

Ecco un modello.
Here is an example.

Impiegato	Buongiorno.
Turista	Buongiorno. Vorrei un biglietto per l'autobus, per favore.
Impiegato	Un biglietto? Ecco.
Turista	Quant'è?
Impiegato	Settecento lire.
Turista	Tenga.
Impiegato	Grazie. Arrivederci.
Turista	Arrivederci.

Chi comincia?
Comincio io. Va bene?

Attenzione! un biglietto costa 700 lire.

Ecco l'autobus!

The buses in Rimini have three sets of doors. Which doors would you use to get on this bus? Can you work out what **entrata** and **uscita** mean?

When you get on the bus you have to get your ticket stamped by a machine. The machine stamps your ticket with the time.

Chi comincia?

Comincio io. Va bene?

At what time did this person get on the bus?

At the railway station and at the **capolinea** you can get your ticket stamped just before you get on the bus.

Ecco una macchina obliteratrice.

L.700
60
MINUTI

Vale solo 60 minuti dal momento della convalida, nell'AREA DI RIMINI.

L.1800
24
ORE

Vale 24 ore dall'ora della convalida, sulle LINEE ATAM, nei Comuni seguenti: Rimini, Riccione, Bellaria, S. Mauro a Mare, Sant'Arcangelo, Coriano.

L.10.000
8
GIORNI

Vale 8 giorni, compreso il giorno della convalida, sulle LINEE ATAM nei Comuni seguenti: Rimini, Riccione, Bellaria, S. Mauro a Mare, Sant'Arcangelo, Coriano.

Look at this information about different types of tickets. Can you work out why it is necessary to get your ticket stamped with the time at which you board the bus?

Le linee principali

You will find it easy to get around Rimini by bus.
All the bus routes are shown on the main map of the town
and leaflets like this one set out the most important routes.
You can pick up a leaflet like this one when you buy your
tickets. All the main buses stop outside the railway station.
Which bus would you catch to each of these places?

Tu sei alla stazione.
Vuoi andare   –   a Fiabilandia
              –   alla spiaggia
              –   al campeggio
Che numero di autobus devi prendere?

Se non sai che numero prendere, puoi sempre chiedere.
If you don't know which number you need, you can always ask.

Così:
Like this:

Scusi, c'è un autobus che va alla spiaggia?

La spiaggia? Sì. Il numero dieci o il numero undici

LINEE PRINCIPALI

N° 4 ■ ■ ■ ■ ■ ■ ■ ■

N° 8 ▬ ▬ ▬ ▬ ▬ ▬

N° 9 ▬▬▬▬▬▬▬▬

N° 10-11

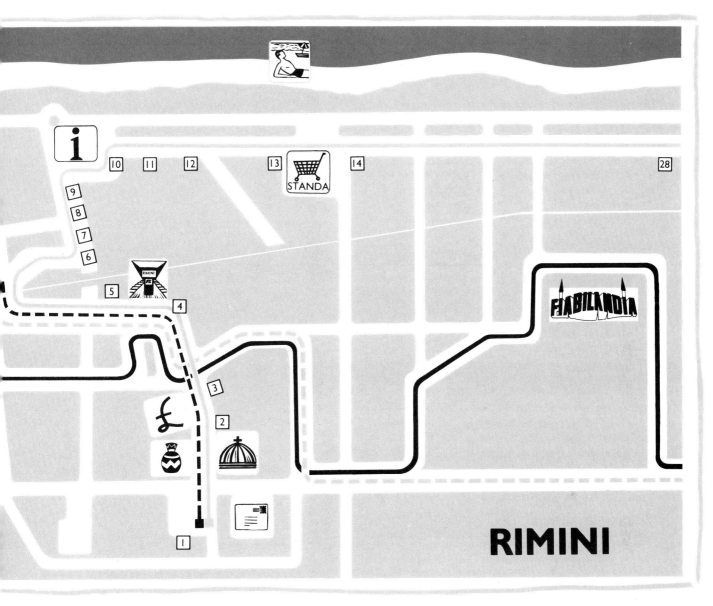

C'è un autobus che va alla stazione?

Leggi questi dialoghi con un(a) partner.
Read these dialogues with a partner.

A: Scusi, c'è un autobus che va al campeggio Italia, per favore?
B: Sì. Deve prendere il numero quattro. Poi è a due minuti a piedi dalla fermata.
A: Grazie.
B: Prego.

A: Scusi, c'è un autobus che va all'Ufficio Turistico, per favore?
B: All'Ufficio Turistico? Sì. Deve prendere il numero dieci.
A: Il numero dieci. Grazie.
B: Prego.

A: Scusi. . .
B: Sì.
A: Senta. . .c'è un autobus che va alla stazione, per favore?
B: Sì. Il numero nove.
A: Grazie.
B: Di niente.

Con un(a) partner, inventate un dialogo per ciascuna di queste situazioni.
With a partner, make up a dialogue for each of these situations.

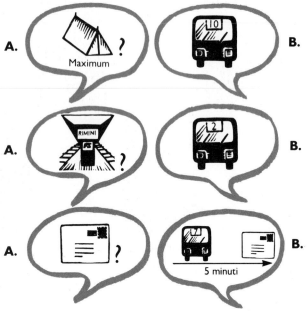

Che numero devo prendere?

Lavora con un(a) partner.
Work with a partner.

A fa una domanda.
asks a question.

B consulta la pianta alle pagine 42–43 e risponde alla domanda.
looks at the map on pages 42–43 and gives the answer.

Esempio:

A: Scusi, c'è un autobus che va al duomo, per favore?
B: Sì. Deve prendere il numero quattro.

Scusi, c'è un autobus che va

al museo civico?
duomo?
supermercato Standa?
campeggio Italia?
Parco Cervi?

all' Ufficio Turistico?
ufficio postale?

alla spiaggia?
stazione?
Standa?

a Fiabilandia?

ad Italia in Miniatura?

C'è una fermata dell'autobus qui vicino?

Guarda bene queste fotografie di fermate.
Look carefully at these photos of Italian bus stops.

A Rimini tutte le fermate della linea 10/11 hanno un numero. Qui vedi la fermata numero uno, la fermata numero dieci e la fermata numero dodici.
Non è difficile trovare la fermata giusta.

Trova queste tre fermate sulla pianta 'Linee Principali' a pagine 42–43.
Find these three bus stops on the map on pages 42–43.

Ancora dei numeri

 tredici

 quattordici

 quindici

 sedici

 diciassette

 diciotto

 diciannove

 venti

È questo l'autobus che va in centro?

Sei alla fermata dell'autobus. Ecco una domanda importante.
Here's an important question when you're waiting at a bus stop.

— Scusi, è questo l'autobus che va in centro?
— *Excuse me, is this the bus which goes into the town centre?*

🔲 Ascolta queste persone alla fermata dell'autobus davanti alla stazione.
Listen to these people at the bus stop outside the station.

Dove vogliono andare?
Where do they want to go?

È questo l'autobus giusto?
Is this the right bus?

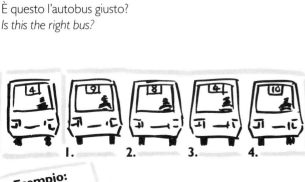

Esempio:
spiaggia 4 10/11

È questa la fermata per il museo?

You will want to make sure that you get off the bus at the right stop. If you know the phrases in these dialogues you'll have no problem.

A: Scusi, è questa la fermata per il museo?
B: Sì. È questa.

A: Scusi, è questa la fermata per la stazione?
B: No, è la fermata numero quattro.

A: Senta, è questa la fermata per Fiabilandia?
B: No, non è questa. È la prossima.

No, è la prossima

Ascolta queste persone sull'autobus.
Listen to these people on the bus.

Dove vogliono andare?
Where do they want to go?

È questa la fermata giusta?
Is this the right stop?

Provate!

Quante combinazioni potete fare in un minuto?
How many different combinations can you make up in a minute?

Esempio:
A: È questa la fermata per la spiaggia?
B: No. È la prossima.
No. È la fermata numero dodici.
Sì. È questa.

1.   2. ITALIA   3.   4.

5. italia in miniatura   6. STANDA   7.   8.

9. CERVI

Trova la domanda!

Per ogni risposta trova una domanda adatta.
Find a suitable question to go with each of the answers below.

1.
No, mi dispiace
Deve andare in
un bar

2.
Allora ...
uno, due, tre.
Ecco!

3.
Milleottocento
lire

4.
Sì.
Deve prendere il
numero nove

5.
Sì. Sì.
È questo.
Il numero quattro

6.
No.
È la prossima

7.
Mi dispiace.
Non lo so

8.
Sì.
Ce n'è uno in
Via Milano, sulla sinistra

9.
No.
Non è questo.
Deve prendere il
numero quattro

10.
Mi dispiace.
Non c'è un autobus che va
al mercato. Deve prendere
il quattro, e poi è vicino al
capolinea

Permesso!

Un po' prima della tua fermata devi premere un bottone.

Se ci sono molte persone sull'autobus devi chiedere
'Permesso!'.

Permesso!

Adesso, tocca a te!

I.

Whilst on holiday with your family in Rimini, you decide to spend the afternoon at **Italia in Miniatura**. Since you are the only one who speaks Italian, you are responsible for:

~~~ buying bus tickets for the four of you

~~~ finding out which bus to catch

~~~ ensuring that you get off at the right stop.

Act out these dialogues with a partner, taking turns to play each role.

A.

AL BAR

Cassiere	Buongiorno.
Tu	....
Cassiere	Allora, uno, due, tre, quattro…ecco.
Tu	....
Cassiere	Duemilaottocento lire.
Tu	....
Cassiere	Grazie. Arrivederci.
Tu	....

B.

NELLA STRADA

Tu	....
Signora	Sì. Per Italia in Miniatura deve prendere il numero otto.
Tu	....
Signora	Prego.

C.

SULL'AUTOBUS

Tu	....
Signore	No, non è questa, è la prossima.

2.

When the bus arrives at the stop, your Mum wants to know what **uscita** and **entrata** mean above the doors. Your brother notices a sign which lights up behind the driver saying **fermata prenotata**. Explain what it means and how it lights up.

Ora sai

Now you know

how to buy bus tickets

Avete biglietti per l'autobus, per favore?
Vorrei un biglietto per l'autobus, per favore.
Mi dà quattro biglietti per l'autobus, per favore?
Un blocchetto di biglietti per l'autobus per favore.
Quant'è?

some more numbers

tredici (13)	diciassette (17)	cento (100)
quattordici (14)	diciotto (18)	duecento (200)
quindici (15)	diciannove (19)	mille (1000)
sedici (16)	venti (20)	quattromila (4000)

how to find out which bus to catch

Scusi, c'è un autobus che va alla spiaggia, per favore?
È questo l'autobus che va in centro, per favore?

and how to understand replies

Sì, il numero dieci.
Sì, deve prendere il numero nove.
Sì, è questo.
Non è questo. È il numero undici.

how to find out when to get off the bus

È questa la fermata per la stazione, per favore?
Sì, è questa.
No, è la prossima.
No, è la fermata numero diciannove.

what to say when you want to get off a crowded bus

Permesso!

6ª Unità
CARTOLINE E FRANCOBOLLI

When you go on holiday to Italy, your friends and relations will look forward to receiving postcards from you. Postcards also make good souvenirs. You can keep them as a record of your holiday or use them to decorate the walls of your room at home.

In this unit, you will learn how to buy postcards and stamps. By the end of the unit you will be able to send postcards and letters to friends at home and abroad.

Dal tabaccaio

Sei in vacanza in Italia e vuoi spedire delle cartoline ai tuoi amici, alla tua famiglia e forse a qualche amico all'estero – in Irlanda, in Francia o in Australia, per esempio.

Se vuoi comprare delle cartoline, puoi sempre andare in una tabaccheria dove si vendono cartoline, francobolli, sigarette, sale e biglietti per l'autobus.

Non è difficile trovare una tabaccheria. Devi cercare un'insegna come questa.

Una cartolina

Un francobollo da settecento lire

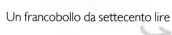

Francobolli vaticani

Francobolli italiani

Una lettera

ALTRI NUMERI

venti	20
trenta	30
quaranta	40
cinquanta	50
sessanta	60
settanta	70
ottanta	80
novanta	90

Quanto costano le cartoline?

Very often you can find out useful information by listening to the questions of other customers and to the shopkeeper's replies.

Stai guardando le cartoline.
Ascolta le conversazioni di questi due clienti.

Dialogo 1: Quanto costano le cartoline?
Il cliente, quanto deve pagare in totale?

Dialogo 2: Che cos' hai capito di questa conversazione?

Una cartolina del castello

In quest'edicola vendono alcune cartoline.
I clienti devono chiedere le cartoline che vogliono.

Ascolta queste persone che comprano delle cartoline. Quali cartoline vorrebbero questi clienti?

Esempio:
I × E, 2 × B

Ne prendo quattro

Immagina che sei in vacanza in Italia.
Lavora con un(a) partner.

A fa la parte del/della turista.
B fa la parte del negoziante.

Poi scambiatevi i ruoli.

Negoziante : Buongiorno.

Turista : Buongiorno. Quanto costano le cartoline?

Negoziante : **Duecento** lire.

Turista : Allora, ne prendo **quattro**: **una del castello**, **una del campeggio** e **due della spiaggia**.

Negoziante : Ecco. **Ottocento** lire.

Turista : Tenga.

Negoziante : Grazie. Buongiorno.

Ora, inventate altre conversazioni cambiando

~ il prezzo delle cartoline   (200 lire ⟹ 300 lire)

~ il numero di cartoline   (4 ⟹ 5)

~ il tipo di cartolina   (castello ⟹ albergo)

~ il totale da pagare   (800 lire ⟹ 1500 lire)

Queste frasi vi aiuteranno:

del duomo	dell'albergo
del mercato	
del castello	della piscina
del campeggio	della spiaggia
del museo	della pizzeria
del parco	della pista di sci

Cartoline grandi e cartoline piccole

▭ In molti posti vendono cartoline grandi e cartoline piccole.
Puoi comprare qualche cartolina grande come souvenir e metterle nella tua camera.

Ascolta queste persone che comprano cartoline in diversi negozi. In quale negozio sono?

Esempio:
L.500 e L.200 = Negozio 2.

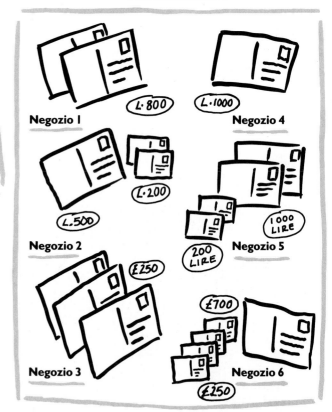

Adesso, tocca a voi.

Esempio:
A: Quanto costano le cartoline?
B: Cinquecento lire le grandi e duecento le piccole.
A: Negozio numero due.
B: Sì. Giusto.

Ora inventate un dialogo secondo il modello qui accanto.
Basate il vostro dialogo su uno dei disegni.

Recitate il vostro dialogo a due altri studenti.
Act out your dialogue to two other students.

Questi due studenti devono indicare il numero del negozio giusto.
These students must identify the number of the shop you are in.

A Buongiorno.

B Buongiorno. Mi dica. . .

A Quanto costano le cartoline?

B Allora. . .ottocento le grandi e duecento le piccole.

A Ho capito. Allora, ne prendo una da ottocento e tre da duecento.

B Benissimo. Millequattrocento lire.

A Ecco.

B Grazie. Buongiorno.

I paesi esteri

Riconosci queste silhouette? Il numero uno, che paese è?

⭐ L'Inghilterra
⭐ L'Irlanda
⭐ La Scozia
⭐ Il Galles
⭐ La Francia
⭐ La Germania
⭐ L'Italia
⭐ L'Australia
⭐ Gli Stati Uniti

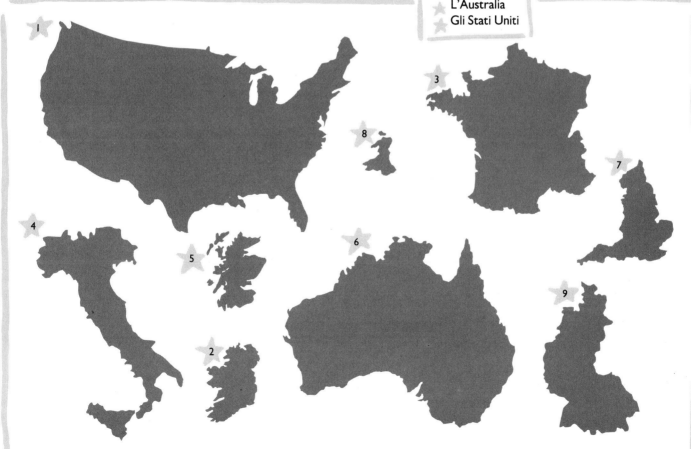

All'ufficio postale

Se vuoi spedire delle cartoline in paesi diversi, è meglio comprare i francobolli all'ufficio postale. Qui conoscono le tariffe postali più recenti.

In un grande ufficio postale devi cercare un'insegna come questa:

VENDITA FRANCOBOLLI

POSTA TELEGRAFO PT

Quanto costa spedire una cartolina?

In quest'ufficio postale ci sono molte persone che comprano francobolli.

Ascolta quello che dicono e trova il disegno giusto.

Esempio:
Disegno numero 5

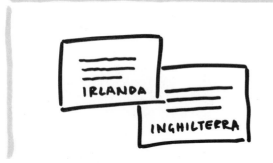

1.

4.

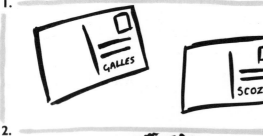

2.

5.

3.

6.

Comprando francobolli

Lavora con un(a) partner.

A compra francobolli per le cartoline e le lettere illustrate in uno dei disegni.

B fa la parte dell'impiegato/impiegata all'ufficio postale. Poi scambiatevi i ruoli.

Questa tabella aiuterà l'impiegato/a a rispondere alle domande del cliente ed a calcolare il totale da pagare.

Impiegato/a	Buongiorno.
Cliente	Buongiorno. Quanto costa spedire una lettera in Inghilterra?
Impiegato/a	650 lire.
Cliente	Mi dà due francobolli da 650, per favore?
Impiegato/a	Milletrecento.
Cliente	Ecco. Grazie.

Tariffe postali		
Europa	Lettere	Cartoline
Europa	650	550
America	1050	850
Australia e Asia	1250	1050

I.

2.

3.

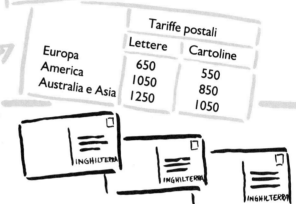

4.

5.

6.

La cassetta postale

In Italia le cassette postali sono rosse. Puoi imbucare le tue lettere e cartoline all'ufficio postale o puoi cercare una cassetta vicino ad una tabaccheria.

Sei in vacanza a Rimini.
In quale buca metti le tue cartoline per l'estero?
La buca a sinistra o la buca a destra?

Adesso, tocca a te!

To show that you can buy postcards and stamps:

I.

A (cliente) ~ Ask your partner for any three cards from those illustrated at the bottom of the page.

B (commesso/a) ~ Write down in English which cards you would sell him/her.

Esempio:

A Vorrei tre cartoline, per favore. Una del museo, una dell'albergo e una della spiaggia.

B Ecco. Seicento lire. (*Writes down: museum, hotel, beach*)

Then change roles.

2.

A (cliente) ~ You have got three cards and two letters to send to friends in different countries. Ask your partner how much it costs to send each letter and card to its destination.

B (impiegato/a) ~ Write down in English what he/she wants to send and which countries they are to go to.

Esempio:

A Quanto costa spedire una lettera in Irlanda?

B (*Writes down: Letter to Ireland*)

Then change roles.

3.

Work with a partner. Choose three different views for the postcards you want to send to friends at home. You need the right stamps. Take turns at asking for the cards and stamps you want. Your partner will play the part of the **tabaccaio**.

Tabaccaio : Buongiorno.

Tu : (*Ask the price of the cards.*)

Tabaccaio : 200 lire l'una.

Tu : (*Tell him which views you want.*)

Tabaccaio : Allora, seicento lire.

Tu : (*Find out about postal charges.*)

Tabaccaio : 650 lire.

Tu : (*Buy the stamps you need.*)

Tabaccaio : Ecco. Uno, due, tre.

Tu : (*Ask how much you owe.*)

Tabaccaio : Allora, seicento e millenovecentocinquanta. . . duemilacinquecentocinquanta lire.

Can your partner tell you which cards you wanted and which countries you wanted stamps for?

Ora sai
Now you know

how to buy postcards

Quanto costano le cartoline?

Vorrei una cartolina della spiaggia.

Prendo una cartolina del duomo.

Mi dà una cartolina da 200 lire, per favore?

how to buy stamps

Quanto costa spedire una lettera in Francia?

Due francobolli per l'Inghilterra.

Mi dà tre francobolli da 600 lire, per favore?

Vorrei un francobollo per l'Australia.

Me ne dia quattro.

the names of some countries

L'Inghilterra

La Scozia

Il Galles

L'Irlanda

La Gran Bretagna

La Francia

La Germania

L'Australia

Gli Stati Uniti

L'Italia

In Italy, bars and cafés are open from early morning until late at night. They serve a wide range of drinks to people of all ages.

When you go to Italy, you may arrange to meet your friends at a café, you may decide to have a snack or you may just want to sit in the shade and write postcards or watch the world go by.

In this unit, you will learn how to order some of the most commonly served drinks and snacks and you will be able to order on behalf of your friends and family too.

Qualcosa da bere...?

Ecco i nomi delle bibite e delle bevande più comuni.

a. un espresso **b.** un cappuccino **c.** un vino bianco **d.** un vino rosso **e.** un tè al latte **f.** un tè al limone

g. un succo di arancia **h.** un succo di pompelmo **i.** un'aranciata **j.** una coca cola **k.** una birra **l.** una cioccolata

Se vuoi sapere il nome di qualche altra bevanda, chiedilo al tuo professore/alla tua professoressa, così:
"Professore, come si dice 'lemonade' in italiano?"

In Italia tutti i prezzi sono segnati sul listino prezzi.

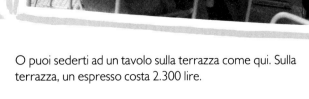

Al bar o sulla terrazza?

In Italia puoi prendere il tuo caffè al banco, così. Qui, un espresso costa 750 lire al banco.

O puoi sederti ad un tavolo sulla terrazza come qui. Sulla terrazza, un espresso costa 2.300 lire.

Mi dica!...Desidera?...

Leggi queste due conversazioni con un(a) partner.

Cameriere	:	Buongiorno. Desidera?
Cliente	:	Un tè al limone, per favore.
Cameriere	:	Un tè al limone. Subito, signora.

Cameriera	:	Sì, signore. Mi dica!
Cliente	:	Un espresso e una birra, per favore.
Cameriera	:	Una birra e un espresso?
Cliente	:	Sì, grazie.

Ora fate un dialogo per le situazioni qui sotto.
Uno studente fa la parte del/della cliente (**A**).
L'altro studente indica il disegno giusto (**B**).

Esempio:

A : Chi comincia?

B : Comincio io. Va bene?

A : Sì.

B : Sì, signorina. Mi dica!

A : Una coca cola e un'aranciata, per favore.

B : Un'aranciata e una coca cola. Subito, signorina.
Disegno numero tre.

A : Giusto.

1.

2.

3.

4.

5.

6.

Un bicchiere, una tazza. . .

un bicchiere di vino

una bottiglia di birra

una tazza di tè

una lattina di coca cola

Fa' una lista di tutte le cose che normalmente si possono chiedere in

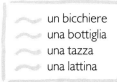

~ un bicchiere
~ una bottiglia
~ una tazza
~ una lattina

Ci sono delle differenze tra la tua lista e quella del tuo/della tua partner?

Ma Matilde!

Matilde ha confuso tutti gli ordini.
Che cosa deve servire ai clienti a questi tavoli?

Riscrivi questi biglietti cambiando le parole sbagliate.
Rewrite these order slips changing the inappropriate words.

Esempio:
Tavolo 16
una tazza di tè al limone

Tavolo 9
una bottiglia di tè al latte
una tazza di succo di pompelmo
una bottiglia di cappuccino

Tavolo 7
una lattina di tè al limone
una tazza di vino rosso
una bottiglia di caffè espresso
una tazza di coca cola

Tavolo 5
una tazza di vino bianco
una lattina di cioccolata
una tazza di birra

Tavolo 16
una lattina di tè al limone
un bicchiere di caffè espresso
una tazza di aranciata

Trovi pasticcerie come queste:

una pasta

un cornetto

e spuntini come questi:

un panino al formaggio

un panino al prosciutto

un tramezzino al formaggio

un tramezzino al prosciutto

un toast

E se hai fame...

Nei bar e caffè in Italia puoi sempre mangiare qualcosa se hai fame.

In questo bar c'è una grande scelta.

Chi ordina che cosa?

 Ascolta bene questi dialoghi e metti ciascuno dei clienti insieme all'ordine giusto.

Esempio:
Cliente D = Ordine H

A.

B.

C.

D.

E.

F.

G.

H.

Lo scontrino

In certi bar, soprattutto nelle grandi città e nelle stazioni
ferroviarie, devi ritirare uno scontrino alla cassa prima di
andare al banco, così:

1. Vai alla cassa e spieghi che cosa vuoi bere e/o mangiare.

2. Paghi.

3. Prendi lo scontrino.

4. Ecco uno scontrino.

5. Porti lo scontrino alla barista.

6. Prendi il tuo caffè al banco, così.

Alla cassa

Lavora con un(a) partner e fate un dialogo per ciascuno degli scontrini qui sotto.

Esempio:

Cassiere	Buonasera. Mi dica.
Cliente	Buonasera. Allora, una pasta e un tè, per favore.
Cassiere	Una pasta e un tè.
Cliente	Quant'è?
Cassiere	Seimilacinquecento lire.
Cliente	Tenga.
Cassiere	Grazie. Ed ecco lo scontrino.
Cliente	Grazie.

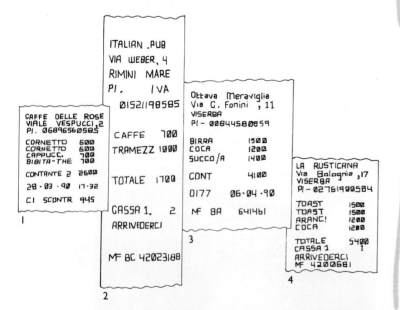

E tu, cosa prendi?

Non è sempre facile decidere che cosa prendere.
Se vai al bar con un gruppo di amici italiani, loro ti aiuteranno a scegliere da bere e da mangiare.

Ascolta questi ragazzi e trova il significato di queste frasi:

> io prendo
> per me
> e tu?
> cosa prendi?
> cosa mi consigli?

A Allora, io prendo una coca. E tu, Elisa, cosa prendi?

B Per me, un'aranciata e un toast.

A E tu, Giovanna, cosa prendi?

C Non lo so. Cosa mi consigli?

A Ti piace la coca cola?

C No, non mi piace la coca, prendo un succo di pompelmo.

A E tu, Massimo?

D Mi piacciono i tramezzini. Prendo un tramezzino al prosciutto e una coca.

A Allora, due coche, un'aranciata, un succo di pompelmo, un toast e un tramezzino al prosciutto.

Che cosa ti piace?

È importante saper spiegare se una cosa ti piace o non ti piace.

Mi piace il tè. Mi piace la cioccolata. Mi piace l'aranciata. Mi piace il succo di arancia.	**Non mi piace** il caffè espresso. Non mi piace il cappuccino. Non mi piace la birra. Non mi piace il succo di pompelmo.
Mi piacciono i tramezzini al formaggio. Mi piacciono le paste. Mi piacciono i toast.	**Non mi piacciono** i tramezzini al prosciutto. Non mi piacciono i cornetti. Non mi piacciono i panini.

Che cosa dicono queste persone?

1.

2.

3.

4.

5.

6.

7.

8.

Ci troviamo al bar

Leggi questo dialogo con altri tre studenti:

A Allora cosa prendi?

B Non lo so…cosa mi consigli?

A Ti piace **l'aranciata**, **la coca cola**?

B No, **la coca** non mi piace, prendo **un succo di arancia**.

A E tu?

C Io prendo **un cappuccino**.

A E tu? Cosa prendi?

D Per me **un'aranciata** e **un tramezzino**…**al formaggio**.

A Va bene, allora, **un succo di arancia**, **un cappuccino**, **un'aranciata**, **un tramezzino al formaggio**…e…mi piacciono **i toast**. Prendo **un toast** e **una coca cola**.

un succo di arancia
un cappuccino
un'aranciata
un tramezzino al formaggio
un toast al prosciutto
una coca cola

Take it in turns to play the part of the person organising the order (**A**) and to write down what everyone in the group wants.

Change the names of the drinks and snacks mentioned each time you act out the conversation.

Ti piace…? Mi piace Non mi piace	il caffè espresso il cappuccino il vino il tè il succo di arancia la birra la coca cola l'aranciata la cioccolata	Ti piacciono…? Mi piacciono Non mi piacciono	le paste i cornetti i tramezzini i panini i toast
	Per me Io prendo		un tè un espresso un toast un'aranciata una birra una pasta, ecc.

Il conto

Se ti siedi ad un tavolo, il cameriere lascerà il conto quando porta le bibite.

Ecco il conto.

Scusi, per favore...

Quando vuoi pagare, devi chiamare il cameriere/la cameriera.

Quando paghi il conto, generalmente il servizio è incluso.

7ª Unità

Adesso, tocca a te!

1.

You have met some Italian students on a course in this country and have suggested that you all meet for a drink. You have agreed to order on behalf of the group.

Listen to the tape. You will hear each person saying what he/she wants to eat and drink. Make a list (in English) of all the items you will need to order.

2.

On holiday in Italy, you are one of the few visitors who speak any Italian. Other holiday-makers ask you to order drinks and snacks for them. They have written down what they want on the corner of a napkin so that you can give the order in Italian to the waitress.

Work with a partner.

A orders the drinks and snacks listed on napkins 1 and 2, in Italian.

B listens to the order without looking at the napkins and writes down what drinks and snacks would be served.

Then change roles. **B** orders the drinks listed on napkins 3 and 4.

3.

Whilst on holiday in Italy you go to a café with a group of friends. This list of drinks and snacks is on the table. How would you answer your friends' questions? Write down what you would say in answer to each of the questions below.

C A F F E T T E R I A	
Caffè espresso	
Cappuccino	2.300
Caffè decaffeinato	2.800
Cappuccino decaffeinato	2.500
Cioccolata	2.800
Tè - Infusi	3.300
Latte in bicchiere	2.800
Yogurt	2.300
Lieviti	2.800
Paste	1.500
	2.500

Napkin 1.
1. 2 cokes
   1 beer
   1 grapefruit juice
   2 ham rolls
   1 cheese roll
   1 toasted sandwich

Napkin 2.
1 chocolate
1 frothy coffee
2 croissants

Napkin 3.
1 tea + lemon
1 orange juice
2 cakes

Napkin 4.
1 beer
1 coke
1 orangeade
1 frothy coffee
2 toasted sandwiches
1 cheese sandwich
1 ham roll

1.
What have they got in the way of hot drinks?

2.
What could I have to eat?

3.
Is there anything I could have to drink for 2.500 lire or less?

4.
How much are sandwiches?

68

Esempio:

> I've only got 3000 lire. Is there anything I could get to eat?

> You could have a yoghurt. They cost 2.800 lire each

BEVANDE FREDDE	
	2.800
	3.000
Caffè - Tè freddo	2.800
Cappuccino freddo	3.800
Minerale ½ bottiglia	4.300
Sprite bottiglia	3.800
Sprite lattina	3.800
Succhi	4.500
Sciroppi	5.000
Birra nazionale	
Birra estera	

CHAMPAGNE - SPUMANTE - VINI	
Champagne ¹/₁	45.000
Champagne ½	30.000
Champagne ¼	18.000
Spumante	30.000
Vino in bottiglia	4.000

S N A C K S	
Tramezzini (prosciutto, formaggio, salame, mortadella, uovo, pomodoro)	4.000
Panini al salame, alla mortadella, al prosciutto cotto, o pancetta	3.300
Toasts	4.200

4.

Towards the end of your stay in Italy, you invite your Italian friend for a farewell drink.

Work with a partner taking it in turns to play each role.
Change the drinks and snacks you mention when you make up the second version.

> **5.**
> Have they got any fruit juice?

> **6.**
> Would it be possible to have a glass of milk?

> **7.**
> Have they got anything with cheese in?

> **8.**
> How much are fruit juices?

Tu	Ask your friend what he/she is going to have.
Amico(a)	Say you don't know.
Tu	Find out if he/she likes two or three different drinks and snacks which you suggest.
Amico(a)	Say which drinks and snacks you like and say which you are going to have. Ask your friend what he/she is going to have.
Tu	Say what you are going to have to eat and drink. Order all the things you have both decided on.

Ora sai

Now you know

• how to ask for drinks and snacks at a bar or café	• Un espresso, per favore.
	Un tè al limone e una pasta, per favore.
	Due aranciate e due panini al formaggio, per favore.
• how to say which drinks and snacks you like/don't like and to ask others	• Mi piace il tè al latte.
	Non mi piace la coca.
	Mi piacciono i cornetti.
	Non mi piacciono i panini.
	Ti piace la birra?
	Ti piacciono i tramezzini?
• how to say what drinks and snacks you are going to have and to ask others/your friends	• Per me un succo di pompelmo e un toast.
	Io prendo un cappuccino e un cornetto.
	E tu?
	Cosa prendi?
	Cosa mi consigli?
• the names of some containers	• una tazza
	un bicchiere
	una bottiglia
	una lattina
• how to ask how much everything comes to	• Quant'è?
• how to attract the waiter/waitress's attention when you want to pay	• Scusi, per favore...

8ª Unità
COSA FACCIAMO? DOVE ANDIAMO?

Holidays often provide opportunities to meet new people and to make new friends. If you go skiing, for example, you will meet Italians in your ski group and in the hotel. If you visit a seaside resort, you will find that the Italian people on the beach and at your hotel are friendly and keen to get to know you too.

In this unit, you will learn how to talk about yourself and the things you like doing and to ask others. You will also learn how to make arrangements to meet other people, and so make new friends.

Alla scuola sci

When you arrive for your first skiing lesson, your ski instructor will want to know:

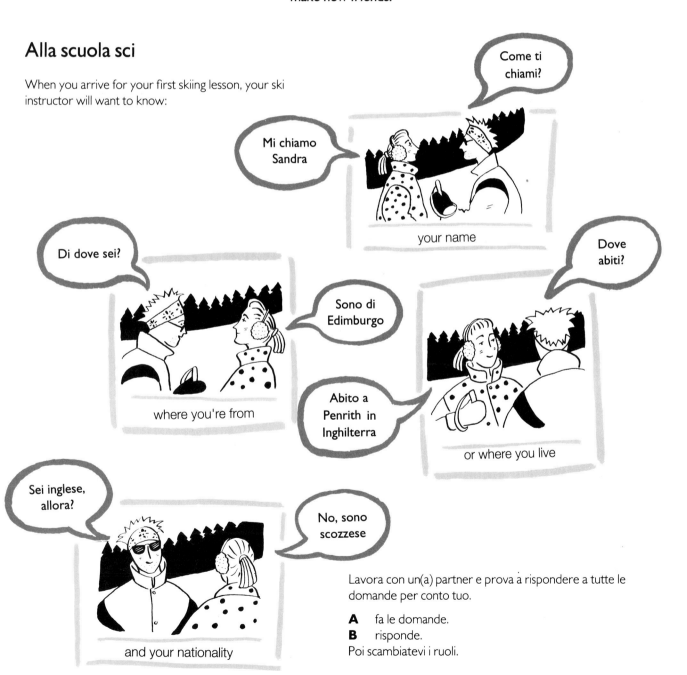

Come ti chiami?

Mi chiamo Sandra

your name

Di dove sei?

Sono di Edimburgo

where you're from

Dove abiti?

Abito a Penrith in Inghilterra

or where you live

Sei inglese, allora?

No, sono scozzese

and your nationality

Lavora con un(a) partner e prova a rispondere a tutte le domande per conto tuo.

A fa le domande.
B risponde.
Poi scambiatevi i ruoli.

Le nazionalità

Trova il significato di queste frasi:

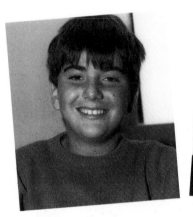

Sono italiano.

Sono italiana.

Sono inglese.

Sono inglese.

Sono australiano.

Sono australiana.

Sono scozzese.

Sono scozzese.

Sono gallese.

Sono gallese.

Sono irlandese.

Sono irlandese.

Se vuoi conoscere il nome di qualche altra nazionalità, chiedilo al tuo professore/alla tua professoressa, così:

"Professore, come si dice 'British' in italiano?"

> Sono americano ... ma di origine italiana

> Sono inglese ... di origine bangalese

> Sono inglese ... di origine turca

> Sono inglese, ma di origine marrochina

Trova le domande!

Questa ragazza è nella stessa classe di te. Quali sono le domande che mancano?

Di dove sei?

📼 Questi ragazzi arrivano per la prima lezione di sci.
Il maestro fa loro alcune domande.
Ascolta bene e trova i loro nomi e le loro nazionalità.
Ascolta una seconda volta. Di dove sono? Dove abitano?

Esempio:
1. Mario, di Bergamo, Foppolo.

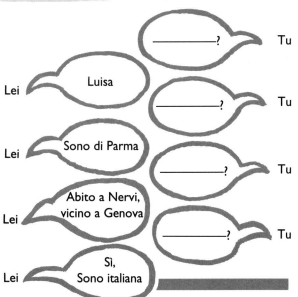

Tu _____ ?

Lei — Luisa

Tu _____ ?

Lei — Sono di Parma

Tu _____ ?

Lei — Abito a Nervi, vicino a Genova

Tu _____ ?

Lei — Sì, Sono italiana

Cosa ti piace fare?

Se vuoi sapere il nome di qualche altra attività, chiedilo al tuo
professore/alla tua professoressa, così:
"Professoressa, come si dice 'to go roller-skating' in italiano?"

Ti piace

1. andare in pedalò?

O preferisci

6. andare in discoteca?

2. pattinare?

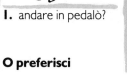

3. andare in pizzeria?

7. fare del windsurf?

4. giocare a tennis?

8. giocare a calcio?

5. sciare?

9. andare in gelateria?

10. nuotare?

Cosa ti piacerebbe fare?

Non è sempre facile decidere che cosa fare.
Ma se capisci queste frasi, puoi sempre decidere con degli amici.

Ti piace sciare? pattinare?	**Do you like** skiing? ice-skating?
Mi piace andare in pedalò. andare in gelateria.	**I like** going out on a pedalo. going out for an ice cream.
Ma preferisco fare del windsurf. giocare a tennis.	**But I prefer** windsurfing. playing tennis.
Sai nuotare? pattinare?	**Can you** swim? ice-skate?
So nuotare. giocare a tennis.	**I can** swim. play tennis.
Non so pattinare. sciare.	**I can't** ice-skate. ski.
Ti piacerebbe andare in discoteca? giocare a calcio?	**Would you like to** go to a disco? play football?
Mi piacerebbe andare in pizzeria. andare a pattinare.	**I'd like to** go to a pizzeria. go ice-skating.

Che cosa dicono?

Guarda bene queste figure e, per ciascuna, inventa un sottotitolo adatto.

Esempio:

Non so fare del pattinaggio

Non mi piace fare del pattinaggio

Dove andiamo in vacanza?

Ascolta queste persone che parlano delle vacanze.
Secondo te, quale località sarà loro più congeniale?

CORTINA

Veneta – Val d'Arpezzo – Mt 1.300/3.000
Più di sessanta piste per sciatori di tutti i livelli. La più signorile e confortevole stazione invernale delle Alpi Orientali.

Museo, pinacoteca, piscine coperte, campi da tennis, cinema, curling, bowling, discoteche, gite in slitta con cavalli, stadio del ghiaccio per il pattinaggio, trampolino per il salto, escursioni, ecc.

A.

POZZA DI FASSA

Trentino – Val di Fassa – Mt 1.340/2.373
Centro Turistico della media Val di Fassa. Oltre 30 km di piste.
Scuola sci.
Per il dopo sci:
Pattinaggio, discoteche, ristoranti, pizzerie, locali tipici, cinema, piscina coperta.

B.

SPOTORNO

È una bella cittadina fra Finale e Savona. La ferrovia passa a nord e Spotorno ha così acquistato un significato di tranquillità. Gite in battello, scuola di vela e windsurf, tennis, passeggiate nella sua famosa "Pineta".
Negozi, boutiques, piano-bars, famose gelaterie, ristoranti e trattorie tipiche.

C.

ALASSIO

Situata sulla costa ligure, Alassio è una delle più importanti stazioni climatiche della Riviera di Ponente.
Ristoranti, bars, gelaterie, negozi famosi, boutiques, discoteche alla moda, cinema ed intensa vita notturna (bars, pizzerie e discoteche in stagione aperti sino alle 4).
Ad Alassio si può praticare ogni sport: dal golf, all'ippica, al windsurf, pattinaggio, pesca subacquea, tennis, ecc.
Interessanti curiosità: la biblioteca inglese, la chiesa benedettina di S. Croce del XII secolo, il Museo di Scienze Naturali.

D.

Un invito

🔲 Ascolta queste conversazioni in cui una persona fa un invito ad un'altra. Trova la conversazione in cui:

〰 una persona sembra molto entusiasta
one person seems very enthusiastic

〰 le persone sono piuttosto indecise
the people are not very good at making up their minds

〰 una persona accetta di fare quello che vuole l'altra
one person agrees to do what the other person suggests

〰 una persona non ha gran voglia di accettare l'invito
one person doesn't really want to accept the invitation

Provate insieme!

Leggi questi dialoghi con un(a) partner.
Adottate personalità diverse, per esempio: entusiasta, indecisa, annoiata.
Poi decidete quello che volete fare
a) oggi pomeriggio
b) stasera
ed inventate altri dialoghi secondo i modelli qui sotto. Le pubblicità vi saranno utili.

SURF

Rimini
Scuole wind-surf in spiaggia:
Bellariva bagno 104-106
Marebello bagno 106
Marina Centro bagni 19-20-29-30-32-38-53-79-86
Miramare bagni 128/132/139
Rivazzurra bagni 116/127
S. Giuliano bagno 11
Viserba bagno 16
Viserbella bagno 39-45

Riccione
Scuole wind-surf in spiaggia: bagni 49-77-114-132
Surf Paradise ☞ Via Boito 3 ☎ 642765
Surf Point ☞ Viale Trento e Trieste 76 ☎ 602367

Cattolica
Scuola wind-surf c/o bagno 72

Misano
Scuola surf c/o Bar Lanterna, Portoverde ☎ 614506

Ristorante dell'Arco

Pesce - Carne - Pizzeria
Tel. 0541/785063
Ampie sale per cene d'affari
e matrimoni
Chiuso il Mercoledì
Via Castracane, 11 RIMINI
RIMINI

NUOTO

Rimini
Garden Sporting Center ☞ Via Euterpe 7 ☎ 774230
Palazzetto dello Sport ☞ Via Flaminia 28 ☎ 704191

Riccione
Stadio del Nuoto ☞ Via Emilia 48397

Misano
Piscina Portoverde ☞ P.zza Ischia, Portoverde ☎ 614503

Verucchio
Piscina Comunale ☞ Via Messina ☎ 668750

Istruttori in spiaggia:
Rimini
Marina Centro bagno 20
Rivabella bagni 1/2

TENNIS

Rimini
Centro Sportivo Q. 7 ☞ Via Marconi 78, Viserba Monte ☎ 738584
Centro Sportivo Tennis Viserbella ☞ Viale Brunelli ☎ 721733
Circolo Tennis Alba Adriatica ☞ Via Buonarroti ☎ 375346
Circolo Tennis ☞ Lungomare Tintori ☎ 24947
Circolo Tennis Rivabella ☞ Viale XXV Marzo 25 ☎ 741511

Paradiso Club

☞ Via Covignano, Rimini Alta) 21.00 △ 5.00 ✆ Disco / Funky / House Bus ATAM 1 D.J. Stefano Coveri / Gianni Morri Piano Bar
★ Ristorante / La discoteca più chic della riviera.

Charlie Brown

☞ Via S. Salvador 28, Torre Pedrera ☎ 720088) 21.00 . 3.00 ✆ Disco Bus ATAM 4 Stop n. 35 D.J. Walter Piano Bar
★ Locale Stile Liberty.

SKATING

Rimini
Centro Sportivo Q.7 ☞ Via Marconi 78 Viserba Monte ☎ 738584
Garden Sporting Center ☞ Via Euterpe 7 ☎ 774230
Libertas Panda ☞ Lungomare Tintori-Ple B. Croce
Palestra Palasport ☞ Via Flaminia 28 ☎ 704193

Riccione
Pattinodromo ☞ Via Lazio 1 ☎ 40559
Pista Pattinaggio ☞ Via Lazio 1 ☎ 608249
Pista Pattinaggio ☞ Via D'Annunzio ☎ 640559/608249
Pista Pattinaggio ☞ Via Puglia
Polisportiva Comunale "Pattinaggio Giardini" ☞ Viale Milano ☎ 40559
Società Skating Club Riccione. Pattinaggio artistico ☞ Via Marche 25 ☎ 601807/602640

Misano
Polisportiva "Dietas Julia" ☎ 609002

Bar-Gelateria-Pasticceria-Snack
Dovesi
★★★★★
RIMINI
Piazza Tre Martiri, 17 - Tel. 0541/24901
Direzione: F.lli FACONDINI

A ፡ Ti piace **andare in pedalò**?

B ፡ No, non molto. **Preferisco fare del windsurf** o **nuotare**. Sai **fare del windsurf**, tu?

A ፡ No, non so **fare del windsurf** ma mi piace **nuotare**.

B ፡ Va bene. Ci troviamo **alla piscina**?

A ፡ Perfetto.

A ፡ Senti, ti piacerebbe **andare in discoteca** stasera?

B ፡ Mi dispiace ma non mi piace molto **andare in discoteca**.

A ፡ Ti piacerebbe **andare in pizzeria**, allora? O preferisci **andare in gelateria**?

B ፡ Sì. Mi piacerebbe **andare in gelateria**.

A ፡ Benissimo.

Dove ci troviamo?

During your holiday you will probably need to be able to understand and make arrangements to meet people. Your ski instructor may arrange to meet you at a different place each day or may need to change the time of your next lesson. If you go on visits and excursions you will be expected to meet up at a certain time and place. You may want to make arrangements to meet up with new Italian friends too.

Queste frasi ti aiuteranno a capire i biglietti a pagina 80:

Dove ci troviamo?

(Ci troviamo) in spiaggia.
           davanti alla piscina.
           al centro sportivo.
           alla pista di pattinaggio.

Where shall we meet?

(Let's meet) on the beach.
           outside the swimming pool.
           at the sports centre.
           at the skating rink.

A che ora ci troviamo?

(Ci troviamo) alle quattro.
           alle quattro e un quarto.
           alle quattro e mezza.
           alle cinque meno un quarto

What time shall we meet?

(Let's meet) at four o'clock.
           at a quarter past four.
           at half past four.
           at a quarter to five.

Va bene.
Mi dispiace, ma non posso.
A presto!
A più tardi!
A stasera!
A domani!

That's fine.
I'm very sorry, but I can't.
See you soon.
See you later.
See you this evening.
See you tomorrow.

le sette   le sette e un quarto   le sette e mezza   le otto meno un quarto

Mettiamoci d'accordo

Trova le differenze e rispondi alle domande.

1.

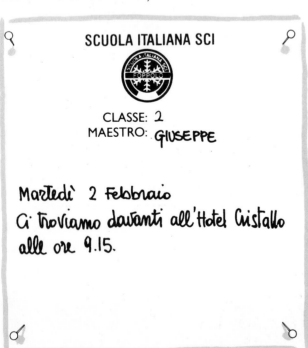

> Massimo said to meet him at the skating rink at 8.30

> Richard
> Ci troviamo alla pista di pattinaggio alle nove e non alle 8.30.
> Va bene?
> A presto
> Massimo

2.

You were unable to attend this morning's ski lesson and so you go to the **Scuola Sci** to find out what arrangements have been made for tomorrow's lesson. This notice is on the board. Where and when will you meet?

> **SCUOLA ITALIANA SCI**
>
> CLASSE: 2
> MAESTRO: GIUSEPPE
>
> Martedì 2 Febbraio
> Ci troviamo davanti all'Hotel Cristallo alle ore 9.15.

3.

Some visitors staying at your hotel find this message at the reception desk. They had been expecting to meet their Italian friends at 8.30 p.m. for a drink at the Oasi Bar. They ask you to read the note so that they can tell whether or not there has been a change of plan.

> Venerdì
> Ciao!
> Siamo passati stamattina ma eravate già in spiaggia. Tutto bene per stasera? Ci troviamo al Bar Oasi alle 8.30. Se ci sono problemi telefonateci. (Tel: 63297)
> A stasera
> Sandra e Valerio

4.

You have made arrangements to go on a day trip to San Marino. The tour operator has left a message for you at your hotel. What information does she give you?

> ESCURSIONE A SAN MARINO
> ci troviamo alle 9.30 in Piazzale C. Battisti davanti alla stazione
> Prezzo: 10.000 lire — Andata e ritorno

5.

Your family has made arrangements to meet some Italian friends, Roberto and Silvia, one evening. However you realise that you will get back later than you had expected. You agree to write them a note which you will leave at the reception desk.

Write a note saying that you'll meet them at the hotel at half past eight and not at half past seven.

Matilde, sbrigati!

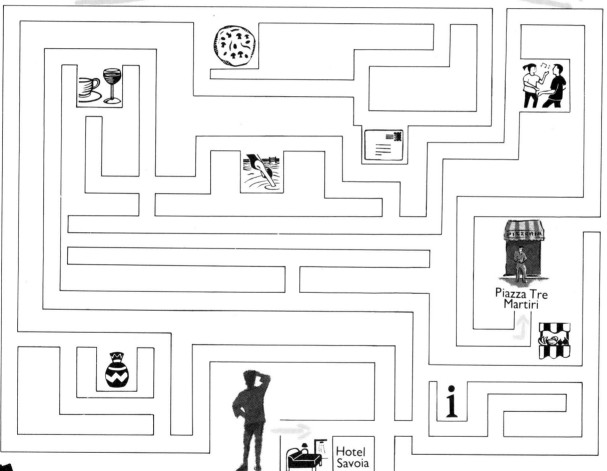

  Sono le otto meno due. Matilde è in ritardo. Puoi aiutarla a trovare la strada più diretta? Lavora con un(a) partner.

A spiega la strada, cominciando così:
"Devi girare a destra, devi prendere la seconda a sinistra..."

B indica la strada sulla pianta con il dito così:

Va bene. A più tardi!

Ascolta questi italiani che inventano delle conversazioni.
Quante conversazioni diverse potete inventare?

		1.	2.	3.	4.
A		Ti piacerebbe andare in discoteca?	Sai giocare a tennis?	Ti piace fare del windsurf?	Ti piacerebbe andare a pattinare?
B		No, ma so nuotare. Mi piacerebbe molto andare in piscina.	Sì, molto.	No, ma mi piacerebbe andare in gelateria.	No. Preferisco giocare a calcio.
A		Va bene. Facciamo così.	OK. Facciamo così.	Perfetto. Facciamo così.	Benissimo. Facciamo così.
B		A che ora ci troviamo?	Dove ci troviamo?	A che ora ci troviamo?	Dove ci troviamo?
A		In spiaggia?	Alle nove e un quarto.	Davanti all'ufficio postale.	Alle otto e mezza.
B		A che ora?	A che ora ci troviamo?	Dove?	Dove ci troviamo?
A		Davanti alla Standa, in Viale Vespucci.	Alle nove meno un quarto.	Alle otto e un quarto.	Al Centro Sportivo in Via Marconi.
B		Perfetto. A presto!	Va bene. A più tardi!	Benissimo. A domani!	A stasera, allora.
A		Arrivederci. A domani.	Ciao. A presto!	A stasera. Ciao!	A più tardi!

Adesso, tocca a te!

1.

When you go to Italy, you will need to be able to answer the kinds of question people are likely to ask when you first meet. You will also find it easier to make friends if you can find out a little about other people.
To show that you can both ask and answer questions, work with a partner.

A should ask **B**

- his/her name
- where he/she is from
- whether or not he/she is English
- whether he/she can ski/windsurf
- if he/she likes ice-skating/swimming.

Then change roles.

2.

On the last day of your skiing holiday, your ski group agrees to meet up in the evening. One of the Italian members of the group asks you some questions in order to work out what to do.
Work with a partner, taking it in turns to play the part of the Italian.

Italiano/a	Dimmi, che cosa ti piace fare?
Tu	(*Say that you like swimming and playing tennis but you prefer ice-skating.*)
Italiano/a	Benissimo. Ti piacerebbe fare del pattinaggio e poi andare in pizzeria?
Tu	(*Say that that would be fine and ask where everyone is going to meet.*)
Italiano/a	Non lo so. Davanti alla scuola sci?
Tu	(*Say that that's OK and ask at what time everyone is going to meet.*)
Italiano/a	Ci troviamo alle sette e mezza. Va bene?
Tu	(*Say that that's fine and that you'll see him/her this evening.*)
Italiano/a	A stasera! Ciao.

3.

Some friends of yours are planning a holiday to Italy and have received some information about Riccione. What could you tell them about the activities and leisure opportunities offered by the resort? Can you find five lazy or gentle activities and five energetic ones?

Strutture:

○ 672 alberghi e pensioni ○ 5.500 ville e appartamenti in locazione ○ 4 campeggi ○ 27 case per ferie e colonie ○ Depuratore "mare pulito" ○ 1 biblioteca ○ 1 teatro ○ 12 banche - 6 uffici cambio ○ 3 servizi di sauna ○ 180 boutiques ○ 1 museo ○ 5 gallerie d'arte ○ Ospedale Civile Tel. 601218 ○ 25 parcheggi pubblici - 11 garages ○ Centrale Taxi Tel. 600559 ○ 7 agenzie immobiliari ○ 12 agenzie viaggi ○ 7 clubs sportivi ○ 5 associazioni per il tempo libero ○ 300 bar/caffè ○ 30 pizzerie - 10 tavole calde ○ 80 ristoranti/trattorie ○ 5 dancings ○ 5 discoteche ○ 1 aquarium/delfinario ○ 8 cinematografi ○ 4 parchi verdi ○ Luna Park ○ Terme.

Vacanza attiva:

○ Noleggi barche di vario tipo ○ 5 scuole di wind-surfing ○ 1 piscina pubblica ○ Acquascivolo ○ 2 bocciodromi ○ 5 piste di schettinaggio ○ 3 campi per mini-golf ○ 1 aeroclub per voli turistici ○ 4 motonavi per escursioni e pesca sportiva ○ 1 centro nautico ○ 8 campi per foot-ball ○ 4 campi per basket-pallavolo-pallamano ○ Autodromo di Santamonica - competizioni nazionali e internazionali ○ 25 campi da tennis.

4.

You have arranged to meet a group of friends outside the swimming pool at 10.30 but your friend, Marco, was not there when the arrangements were made. Write him a note telling him where and when to meet.

Ora sai

Now you know

- how to introduce yourself

  Mi chiamo Jenny Roffe.
  Sono di Aylesbury.
  Abito a Woburn Sands.
  Sono inglese.

- how to ask people whom you would address by their first names about themselves

  Come ti chiami?
  Di dove sei?
  Dove abiti?
  Sei gallese?

- how to explain your nationality

  some other nationalities

  Sono scozzese.

  gallese   irlandese   francese
  australiano/a   italiano/a
  Sono di origine turca.

- how to talk about some of the leisure activities you like or dislike, can or cannot do
  and to ask others

  Ti piace andare in pedalò?
  No, preferisco fare del windsurf.
  Mi piace pattinare.
  Sai giocare a tennis?
  No, ma so nuotare.
  Ti piacerebbe andare in pizzeria?
  Mi piacerebbe andare in gelateria.

- how to understand information about towns and their leisure facilities

  pattinaggio   discoteche   ristoranti
  pizzerie   locali tipici   cinema
  piscina coperta

- how to understand and make arrangements to meet people

  Dove ci troviamo?
  Davanti alla gelateria.
  A che ora ci troviamo?
  Alle otto meno un quarto.
  Va bene.
  A presto / A più tardi
  A stasera!
  A domani.

9ª Unità
IN BANCA

It is not a good idea to carry a lot of cash with you when you go abroad. It is much safer to take traveller's cheques or Eurocheques since no one can cash them except you. Towards the end of your stay you may see something that you are really keen to buy and may need to change some extra money in order to do so.

In this unit, you will learn how to change money and traveller's cheques at a bank or **cambio** *office. That way you won't need to worry about carrying lots of loose cash on you.*

Le prime banche si trovavano a Firenze, a Roma e a Venezia. La parola 'banca' vuol dire 'bench' in inglese. Ecco una banca del quattrocento.

Le banche italiane

1.
Gli orari sono diversi da quelli nel tuo paese?

2.
In Italia ci sono molte banche diverse.

3.
Prima di entrare in banca, devi passare il controllo.

4.
Le porte sulla strada si chiudono e, se tutto va bene, quelle davanti si aprono.

5.
Adesso devi trovare l'insegna giusta.

6.
Devi compilare un modulo e fare vedere il tuo documento.

7.
Poi, devi passare alla cassa.

8.
Alla cassa prendi i tuoi soldi italiani.

Frasi utili

Quando vai in banca, queste frasi ti saranno utili:

Vorrei cambiare un traveller's cheque, per favore.	I would like to change a traveller's cheque, please.
Vorrei cambiare questi due traveller's cheque, per favore.	I would like to change these two traveller's cheques, please.
Vorrei cambiare questi soldi, per favore.	I would like to change this money, please.
Vorrei cambiare trenta sterline, per favore.	I would like to change £30 (sterling), please.
Vorrei cambiare quaranta dollari, per favore.	I would like to change $40, please.

Che cosa dicono queste persone?
Prova con un(a) partner.
Il tuo/la tua partner ti fa vedere il disegno giusto.

Esempio:

A: Vorrei cambiare venti sterline, per favore.

B: Sì. È questo disegno. (*Indica disegno A.*)

A.   B.   C.

D.   E.   F.

Vorrei cambiare...

1. 📼 Ascolta queste persone che vorrebbero cambiare soldi in banca. Per ogni dialogo trova il disegno giusto.

2. Ascolta ancora una volta.
Trova il dialogo nel quale
    il/la cliente è molto brusco/a.
    il/la cliente non è italiano/a.
    l'impiegato/a è molto gentile e molto simpatico/a.
    l'impiegato/a parla molto.

Prova con un(a) partner

Vuoi cambiare i soldi illustrati qui sotto.
Fate un dialogo come questo per ognuno dei disegni:

A Buongiorno.

B Buongiorno. Vorrei cambiare venti sterline, per favore.

A Sì, signore/signorina. Ha un documento, per favore?

B Sì. Tenga.

A Grazie.

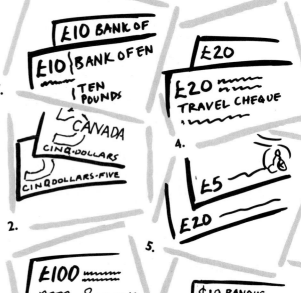

Vorrei cambiare	un traveller's cheque	per favore
	questi traveller's cheque	
	questi soldi	
	venticinque sterline	
	trenta dollari	
	venti sterline	
	cinquanta sterline	
	quaranta sterline	

Un modulo da compilare

Generalmente quando uno vuole cambiare soldi in banca,
deve compilare un modulo.
Guarda questo modulo e trova il significato di queste parole:

Cognome
Nome
Nazionalità
Indirizzo
Documento d'identità
Firma

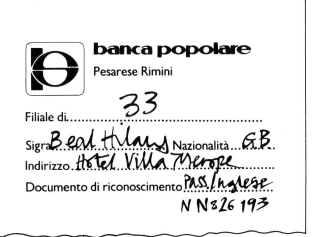

Domande, sempre domande

Molto probabilmente l'impiegato/a ti farà alcune
domande...come queste, per esempio:

Il Suo cognome?
Il Suo nome?
Il Suo indirizzo in Italia?
Nazionalità?
Ha un documento, per favore?

Ascolta questa cliente. Capisci tutte le domande
dell'impiegato? Il modulo ti aiuterà.

Ora, ascolta questo cliente e compila il modulo che il tuo
professore/la tua professoressa ti darà.

Informazioni sul passaporto

 Molte volte non devi rispondere a tante domande perché l'impiegato può copiare i dettagli necessari dal tuo passaporto.

Ascolta questi dialoghi. Quali sono i dettagli che l'impiegato ha potuto copiare?

BANCO DI ROMA
BANCA DI INTERESSE NAZIONALE

Cognome e nome
Parkinson Jennifer

Indirizzo
Hotel Strand

Nazionalità
Inglese

Doc.
Pass. Inglese N. N826693D

Importo
GB £ 50.00

Firma
J.M. Parkinson

2

banca popolare di spoleto

COGNOME NOME *MARINELLI Simone*
INDIRIZZO *Via Coletti 5, RIMINI*
NAZIONALITÀ *Italiana*
DOCUMENTO D'IDENTITA *Carta d'Id.*

IMPORTO
$US 60

FIRMA CLIENTE *S. Marinelli*

1

BANCO DI SANTO SPIRITO
S.P.A. SEDE SOCIALE IN ROMA - Capitale Sociale e Riserve L. 309.500.000.000

nome *CANDIOTTI Barbara*
Indirizzo *Via Roma 73*
Cattolica
Doc. *Passaporto*

Nazionalità *Italiana*
Importo *F.F. 500.00*
Firma *B. Candiotti*

UFFICIO CAMBIO AEROPORTO LEONARDO DA VINCI

3

4

Banca Agricola Mantovana

Cognome e nome	*DANIELS Cedric*
Indirizzo	*GRAND HOTEL*
Nazionalità	*Britannica*
Doc.	*Passaporto*

Importo

GB £ 40.00

Firma

C. Daniels

Si accomodi alla cassa!

Qualche volta l'impiegato ti darà un numero prima di farti passare alla cassa.

Si accomodi alla cassa!

Per prendere i tuoi soldi, generalmente devi passare alla cassa.

Il corso del cambio

In tutte le banche e negli uffici cambio si trovano avvisi come questo.

CAMBI

	Valuta	Banconote
	24-06	23-06
DOLLARO USA	1034,90	1034,92
MARCO tedesco	742,23	74,23
FRANCO francese	220,05	220,06
FIORINO olandese	659,93	659,93
FRANCO belga	35,464	35,461
STERLINA inglese	2185,65	2185
STERLINA irlandese	1994,80	1994,70
CORONA danese	195,23	195,22
DRACMA greca	9,271	9,268
ECU	1542,20	1542,135
DOLLARO canadese	1081,10	1081,30
YEN giapponese	10,321	10,321
FRANCO svizzero	891,78	891,79
SCELLINO austriaco	105,50	105,51
CORONA norvegese	204,65	204,74
CORONA svedese	213,99	213,98
MARCO finlandese	313,39	313,47
ESCUDO portoghese	9,102	9,102
PESETA spagnola	11,236	11,234
DINARO jugoslavo	—	—
DOLLARO australiano	1073,40	1073,70

Quante lire riceveranno queste persone?

Esempio:

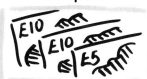

£25 × 2.185 = 54.625 lire

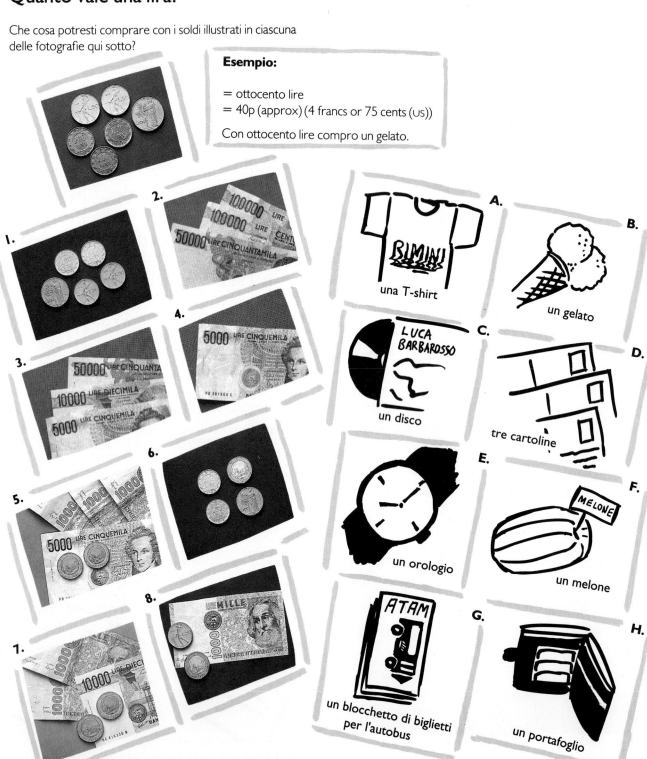

Quanto vale una lira?

Che cosa potresti comprare con i soldi illustrati in ciascuna delle fotografie qui sotto?

Esempio:

= ottocento lire
= 40p (approx) (4 francs or 75 cents (US))

Con ottocento lire compro un gelato.

A. una T-shirt

B. un gelato

C. un disco

D. tre cartoline

E. un orologio

F. un melone

G. un blocchetto di biglietti per l'autobus

H. un portafoglio

Mi dia quattro biglietti da diecimila, per favore!

Alla cassa si possono richiedere biglietti e monete di valori precisi. Metti i soldi giusti insieme alla persona che li ha richiesti.

1. Mi dia due biglietti da cinquantamila lire, per favore

A.

2. Mi dia qualche moneta da cinquecento lire, per favore

B. 5000 LIRE CINQUEMILA

3. Mi dia tre biglietti da diecimila lire, per favore

C. 50000 LIRE CINQUANTAMILA 50000 LIRE CINQUANTAMILA

4. Mi dia un biglietto da cinquemila lire, per favore

D. 10000 LIRE DIECIMILA 10000 LIRE DIECIMILA 10000 LIRE DIECIMILA

Adesso prova con un(a) partner.
Uno richiede i soldi, l'altro gli mostra la foto giusta.

Alla cassa

 Ascolta queste persone che prendono i loro soldi alla cassa. Chi richiede quale combinazione?

A.

B.

C.

D.

Adesso con un(a) partner fate una conversazione come questa:

Cassiere	Sessantamila, allora. Come le vuole, signorina?
Cliente	Mi dia un biglietto da cinquantamila e un biglietto da diecimila, per favore.
Cassiere	Dunque. . .cinquantamila e diecimila, ecco.
Cliente	Grazie. Buongiorno.
Cassiere	Buongiorno.

| Mi dia | un biglietto
due biglietti
cinque biglietti | da | mille lire
cinquemila
diecimila
cinquantamila
centomila | per
favore. |

CASSA DI RISPARMIO DI SAVONA

Cognome e nome:	LEWINSKI Anna
Nazionalità:	Inglese
Indirizzo:	
Documento di riconoscimento:	Pass. Inglese N. N8236950 8.8.93 Newport

Natura del titolo	Numero e serie	Banca trassata	Valuta estera		Controvalore in lire italiane
			Specie	ammontare	
Trav. Ch	287454	National Westminster	£ st.	£50.00	109.282

Prova un po'

Che cosa direbbe questa cliente? Completa questo dialogo con domande e risposte adatte.

Impiegato	Buongiorno. Mi dica, signorina!
Cliente	....
Impiegato	Certo, signorina. Un momento. . .allora. . .ha un documento, per favore?
Cliente	....
Impiegato	Perfetto. . .dunque. . .cognome LEWINSKI, nome Anna, inglese. . .benissimo. . .e una firma qui. . .e qui. Allora numero ventotto. Passi alla cassa, signorina!
Cliente	....
Impiegato	Prego.
Cassiere	Ventotto! Numero ventotto!
Cliente	....
Cassiere	Allora, centonovemilatrecento lire. Come le vuole, signorina?
Cliente	....
Cassiere	Dunque. . .centomila. . .novemila e trecento. Va bene così?
Cliente	....
Cassiere	Di niente. Arrivederci. Buongiorno.

Adesso, tocca a te!

1.

You go to the bank to change some money. You see these signs above the different counter sections. Which sign indicates the section dealing with 'changing money'?

AFFIDAMENTI	PRESTITI PERSONALI

CASSA	CONTI CORRENTI	CAMBIO

INFORMAZIONI	ASSEGNI CIRCOLARI

RISPARMI

2.

Work with a partner and ask to change one of these sums of money or traveller's cheques. You decide which amount you want to change. Your partner must write down the number of the picture which matches your request.

3.

Work with a partner. Take it in turns to ask each other these questions in any order. The person asking the questions writes down the question number and the other person's answers. Then change roles.
When you have both asked each other all the questions, check that you each provided the right kind of information in answer to each of the questions.

Domande
1. Il Suo indirizzo?
2. Il Suo nome?
3. La Sua nazionalità?
4. Il Suo cognome?
5. Ha un documento, per favore?

4.

You have changed money and the rate of exchange gives you 105.000 lire. Work with a partner and ask for the money in any combination of these notes.

Your partner should write down how many you ask for of each note value, and check that it all adds up correctly.

Esempio:

Impiegato : Buongiorno.
Tu : (Ask to change the money shown in one of the pictures.)
Impiegato : Sì. (Scrive: Disegno numero...)

Esempio:

Tu : Mi dia un biglietto da centomila e un biglietto da cinquemila, per favore.
Partner : 1 × 100.000
1 × 5.000
105.000

95

Ora sai

Now you know

- how to ask to change money or traveller's cheques

  Vorrei cambiare questi soldi, per favore.

  un traveller's cheque, per favore.

  cinquanta sterline, per favore.

- how to fill in sections on a form

  Cognome

  Nome

  Indirizzo

  Nazionalità

  Documento di riconoscimento

  Firma

- how to understand questions the clerk might ask you

  Il Suo nome?

  Il Suo cognome?

  Il Suo indirizzo?

  Il Suo nazionalità?

  Ha un documento, per favore?

- how to understand some requests or instructions

  Una firma!

  Firmi qui, per favore!

  Passi alla cassa!

  Si accomodi alla cassa!

- how to ask for specific combinations of coins and notes

  Mi dia due biglietti da cinquantamila lire, per favore!

  Mi dia cinque monete da 200 lire, per favore!

SCOPRITE QUALCOSA DI PIÙ

*When you need to check a grammar point, use this index to help you find the section you need. At the end of each section there is a summary (**Sommario**) which briefly sets out the rules. The earlier part of each section provides more detailed explanations, and exercises so that you can practise each point and check that you have understood it properly. The explanations and exercises are designed to encourage you to work out the rules for yourself as you go along. This makes each rule easier to understand and remember. The explanations and exercises will therefore be most helpful if they are worked through slowly and thoroughly, line by line. However, once this has been done, you can turn to them again at any time to refresh your memory.*

Using **il**, **l'** and **la**

Look at these Italian words. Each one is the name of a thing or a place. What do you notice about them?

libro	banca
mercato	villa
parco	pizza
castello	matita

The names of most places and things in Italian end in either **-o** or **-a**.
Can you think of some more places or things ending in **-o** or **-a**?

Now look at the names of these places in an Italian town. What do you notice about them?

il supermercato	l'albergo	la piscina
il museo	l'Ufficio Turistico	la pizzeria
il duomo		la banca
il campeggio		la spiaggia

How many words did you find which mean *the* in Italian? What are they?

Can you find any clues which show you which *the* word to use?
What are they?

There are three words in Italian which mean *the*.
They are **il**, **l'** and **la**.
If the name of the place or thing you are talking about ends in **-o**, you will usually need to use **il**, if it ends in **-a**, you will usually need to use **la**.
If the word begins with a vowel (**a,e,i,o,u**), you will need to use **l'**.
For example: **l'a**lbergo   **l'a**spirina   **l'u**fficio   **l'e**ntrata

This is because Italians don't like the sound of **il** or **la** before words which begin with a vowel.

A similar sound change occurs in English too.
Say these two sentences aloud several times:

Give me the book!   Give me the apple!

Did you notice that you pronounced *the* slightly differently in each case? Can you work out why?

Esercizio 1

Look for the clues in these words and say whether you use **il**, **la** or **l'** with each one. Then write a caption for each of the illustrations above.

Esempio: penna   Ecco la penna.

1. quaderno	5. ufficio
2. libro	6. orchestra
3. matita	7. castello
4. professoressa	8. banana

Esercizio 2

How would you ask where each of these places is situated in town?

Esempio: Senta, dov'è l'Ufficio Turistico, per favore?

Esercizio 3

Choose eight places in town and design your own symbols for each one.
Show your symbols to your partner. He/She must say which place he/she thinks each symbol represents.

Esempio:

A: La spiaggia?
B: No.
A: La piscina?
B: Sì, la piscina.

Sommario

Most (but not all) names of places and objects follow this pattern:

il	_____	o	**il** parc**o**
l'	(vowel)	o	**l'**alberg**o**
l'	(vowel)	a	**l'**aspirin**a**
la	_____	a	**la** banc**a**

Using **un** and **una**

Prima parte

Look at these sentences in which people are asking if there is a certain place nearby.
How many words can you find which mean _a_?

Scusi, c'è un supermercato qui vicino?
Scusi, per favore…c'è un telefono qui vicino?
Scusi…senta, c'è una banca qui vicino?
Senta, c'è una pizzeria qui vicino?

There are two words in Italian which mean _a_.
They are **un** and **una**.
Here are some more examples.
Can you work out when to use **un** and when to use **una**?

C'è **un** parco vicino all'Ufficio Turistico.
C'è **un** mercato in Piazza Cavour.
C'è **una** piscina accanto all'albergo.
C'è **una** discoteca in Via Fontanina.

Did you notice that **un** is used before the name of a place or thing which ends in **-o**?
And **una** is used before the name of a place or thing which ends in **-a**.

Esercizio I

Use the clues in these words to help you decide whether to use **un** or **una**.
Then match each label with the right picture.

1....castello
2....matita
3....libro
4....museo
5....pianta
6....penna
7....pizza
8....campeggio
9....monumento
10....telefono

Esercizio 2

How would you ask a passer-by if there is one of the places below nearby?

Esempio: Scusi, c'è un supermercato qui vicino, per favore?

Esercizio 3

Imagine that you are explaining to some Italian visitors where they will find certain places in town. Write down what you would say in order to explain where they can find the places below.

Esempio: C'è un mercato in Church Square.

A number of words have been borrowed into Italian from other languages and do not end in either **-o** or **-a**.
You have to learn whether to use **un** or **una** with these words as you come across them.

Esempio: un weekend   una toilette
un dépliant   un computer
un bar   un hot-dog
un souvenir   un toast

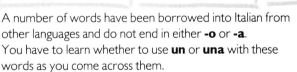

Seconda parte

You have learnt that **un** and **una** mean *a*, and that **il**, **l'**, **la** mean *the*.

C'è **un** supermercato qui vicino?
        Il supermercato Standa è in Corso Cavour.
        Il supermercato Spar è in Viale Roma.

C'è **un** albergo qui vicino?
        L'albergo Imperiale è in Viale Vespucci.
        L'albergo Europa è in Via Pascoli.

C'è **una** pizzeria qui vicino?
        La pizzeria Pierrot è in Via Toscanelli.
        La pizzeria La Posada è in Via Dardanelli.

You will notice that you use
  un with **il** words; they start with a consonant and end in **-o**.
  un with **l'** words; they start with a vowel and end in **-o**.
 una with **la** words; they start with a consonant and end in **-a**.

Here are some more examples:
C'è **un** campeggio a Viserba; è **il** campeggio Italia.
C'è **un** aeroporto a Rimini; si chiama **l'**aeroporto Civile Miramare.
C'è **una** discoteca in Via Weber; è **la** Discoteca Meeting.

Esercizio 4
Fill in the gaps in these questions and answers with the correct word for *a* or *the* in Italian.

a:	un	una	
the:	il	l'	la

1a Scusi, c'è un mercato qui?

b Sì, _____ mercato è in Piazza Isei.

2a Scusi, per favore. C'è un ufficio postale qui vicino?

b Sì, _____ ufficio postale è in Via Manzoni.

3a Senta, c'è una banca qui vicino?

b Allora, c'è _____ banca commerciale in Corso Cavour.

4a Senta, c'è _____ supermercato qui vicino?

b Vediamo, sì, c'è il supermercato Conad in Via Manzoni.

5a Scusi, per favore, c'è _____ albergo qui vicino?

b C'è l'albergo Barriera in Via Contarini e l'albergo Casali in Corso Cavour.

6a Senta, c'è _____ Ufficio Turistico qui in centro?

b Sì signora, l'Ufficio Turistico è qui, in Piazza Bufalini.

Terza parte

Although **un, una, il, l', la** are small words, they are very useful and often provide you with important clues. Look at these comments which local people made when showing visitors round the places where they live.

These comments refer to Foppolo, a small ski village, high up in the Alps.

Qui c'è **la** banca.   Qui c'e **la** piscina.
Qui c'è **la** pizzeria.   Qui c'è **il** supermercato.

These comments refer to Rimini, a large seaside resort on the Adriatic coast.

Qui c'è **una** banca.   Qui c'è **una** piscina.
Qui c'è **una** pizzeria.   Qui c'è **un** supermercato.

What clues or extra information are you given about Foppolo by the use of **la** and **il**?
What clues or extra information are you given about Rimini by the use of **un** and **una**?

In the sentences about Foppolo, the local people said 'Here's *the* bank', 'Here's *the* swimming pool', 'Here's *the* pizzeria', 'This is *the* supermarket'.
The words **il** and **la** tell you that there is only *one* bank, *one* swimming pool, *one* pizzeria and *one* supermarket in the village.

In Rimini, the local people said 'Here is _a_ bank', 'Here is _a_ swimming pool', 'Here's _a_ pizzeria', 'Here's _a_ supermarket'. The words **un** and **una** give you clues that there must be more than one of all these places in Rimini.

Esercizio 5

Look at these comments referring to places in an Italian town. Look carefully at the clues in these sentences and say whether there is one or more than one of each of the places underlined.

Esempio:

C'è una <u>banca</u> in Via IV novembre.
There is more than one bank in the town.

1. L'<u>ufficio postale</u> è in Corso d'Augusto.
2. Il <u>castello</u> è vicino al mercato.
3. C'è un <u>albergo</u> in Via Neri.
4. L'<u>Ufficio Turistico</u> è qui, sulla destra.
5. Il <u>campeggio</u> è qui, in Viale Tolmino.
6. C'è un <u>parco</u> vicino all'Ufficio Turistico.
7. Il <u>mercato</u> è situato in Piazza Cavour.
8. C'è una <u>discoteca</u> di fronte all'albergo.
9. Deve prendere la prima a destra. C'è un <u>telefono</u> sulla sinistra.
10. Scusi, mi sa dire dov'è il <u>museo</u>, per favore?

Esercizio 6

Imagine that you are showing some Italian visitors round your town (or a town near where you live).
What would you say as you pass each of the places below?

Esempio:

Qui c'è la banca.   (If there's only one bank in the town.)
Qui c'è una banca. (If there's more than one bank in the town.)

1. swimming pool 2. supermarket 3. bar 4. tourist office 5. bus stop 6. hotel 7. post office 8. restaurant 9. cathedral 10. disco

Sommario

a	the	
un	**il**	words which start with a consonant and end in **-o**
un	**l'**	words which start with a vowel and end in **-o**
una	**la**	words which start with a consonant and end in **-a**

Un and **una** are used to refer to a place when it is one of several
e.g. Qui c'è una banca. (There are several banks in this town.)

Il, l', la are used to refer to a particular place by name or to the only one in town
e.g. Ecco la banca. (This is the only bank in town.)
    Ecco la Banca Commerciale. (This is a particular bank; there are other banks in town.)

═══════ **5ª Unità** ═══════

Using a, al, alla, all'

Prima parte

Look at these sentences in which the bus inspector is telling people which buses go to different places in the Rimini area. Can you find one word in Italian which means _to_?

Il numero quattro va a Torre Pedrera.
Il numero dieci va a Miramare.
Il numero undici va a Riccione.

When you want to say _to_ before a _place name_ (such as names of towns and villages) you say **a**. Here are some more examples:
Quest'autobus va **a** San Marino.
C'è un autobus che va **a** Fiabilandia?
Io vorrei andare **a** Roma e **a** Firenze.

Esercizio I

Write a sentence to say where these buses and coaches are going.

Esempio:

Il numero quattordici va a Montebello.

Now look at these sentences. People want to know if there are buses to particular places in Rimini such as the market, the post office, the beach, etc. Can you find *one word* in each sentence which means *to the* in Italian?

Scusi, c'è un autobus che va al mercato, per favore?
Senta, c'è un autobus che va all'ufficio postale, per favore?
Scusi, c'è un autobus che va alla spiaggia, per favore?

Did you find these three words: **al**, **all'**, **alla**?

Look at some more examples and try to work out when you use each word.

Scusi, c'è un autobus che va **al** museo civico, per favore?
Scusi, c'è un autobus che va **all'**Ufficio Turistico, per favore?
Scusi, c'è un autobus che va **alla** discoteca Paradiso, per favore?

Did you work out that you use

al	before	il	words?
all'		l'	
alla		la	

Have you noticed what happens? Two words join and form one word.

When | **a** | comes in front of | **il** | they join to become | **al**
| **a** | | **l'** | | **all'**
| **a** | | **la** | | **alla**

Esercizio 2
How would you ask if there is a bus to each of the places below?

Esempio:
Scusi, c'è un autobus che va alla discoteca Carnaby Club, per favore?

1. bank **2.** cathedral **3.** 'Maxim' campsite **4.** railway station **5.** 'Standa' supermarket **6.** 'Villa Verde' hotel

Seconda parte

Now look at these sentences which give you information about the location of certain places.

Il museo civico è vicino al duomo.
La piscina è davanti all'albergo.
Il bar Guidi è accanto alla banca.
C'è una tabaccheria di fronte al supermercato.

You already know the meanings of these phrases:

di fronte a	opposite
vicino a	near
davanti a	outside / in front of (a building)
accanto a	next to

Have you noticed what happens when you want to say 'near *the* cathedral', 'in front of *the* hotel', 'next to *the* bank', 'opposite *the* supermarket'?
The same rule works again.

a	joins with	il	to form	al
a		l'		all'
a		la		alla

So that you say:
L'Albergo Borghini è **accanto all'**albergo Sabbia d'Oro.
La discoteca Ripa è **vicino al** mercato.
La fermata del dieci è **davanti alla** stazione.
Il museo è **di fronte al** duomo.

Esercizio 3
Use this grid to make up as many correct sentences as you can to describe the location of the places in the picture.

La banca				bar
La piscina				castello
Il ristorante				duomo
La pizzeria			al	mercato
La discoteca				parco
Il parco				supermercato
Il museo				campeggio
Il supermercato		accanto		albergo
L'Ufficio Turistico	è	vicino	all'	Ufficio Turistico
Il mercato		davanti		ufficio postale
La fermata		di fronte		pizzeria
dell'autobus				fermata
La stazione				dell'autobus
Il campeggio			alla	discoteca
Il castello				stazione
Il bar				piscina
La spiaggia				spiaggia

Now say where some of these places are in your town.

Esempio:
Nella mia città la discoteca è vicino alla pizzeria.
Il supermercato Tesco è accanto al bar Red Lion.

Esercizio 4
Answer these questions basing your answers on the pictures.

Esempio:

Scusi, mi sa dire dov'è
il campeggio Italia, per favore?
Sì. Il campeggio è vicino alla spiaggia.

1. Scusi, mi sa dire dov'è
   la Banca Pesarese, per favore?

2. Scusi, mi sa dire dov'è
   la piscina, per favore?

3. Scusi, mi sa dire dov'è
   la fermata del due?

4. Scusi, mi sa dire dov'è
   il parco dell'Indipendenza?

Terza parte

Here are some more sentences which use **al**, **alla**, **all'**.
Can you work out what **al**, **all'** and **alla** mean in these
sentences?   Deve girare a destra **al** duomo.
              All'ufficio postale deve girare a sinistra.
              Deve girare a sinistra **alla** Pizzeria Panoramic.
Did you work out that they all mean *at the*?
So **a** can also mean *at*. The same rule still applies:

when	a	comes before	il	they join to form	al
	a		l'		all'
	a		la		alla

You can now give even more precise directions to someone
who asks you the way by telling them where they need to
turn left or right.

Esercizio 5

Practise finding out where places are located and giving
directions by taking turns with a partner.

Esempio:

A: Scusi, c'è una banca qui vicino?
B: Sì, deve girare a sinistra al bar.

When you can ask about all six places and can give the
directions accurately, write out a question and answer for
each illustration.

Sommario

In Italian **a** can mean *to* and *at*.
e.g. Quest'autobus va **a** Rimini.
     A Fiabilandia c'è un grande parco.

A is also used in other expressions such as **vicino a**,
accanto a, **davanti a**, **di fronte a**.
e.g. Riccione è vicino **a** Rimini.

When **a** comes before **il**, **l'** or **la**, the two words combine to
form a single word: **al**, **all'**, **alla**.
e.g. C'è un autobus che va **alla** stazione?
     È questo l'autobus che va **al** mercato?
     Per il mercato deve girare a sinistra **all'**albergo Monaco.

Names of places, people and things ending in -e

In Italian, a number of words for places, people and things end
in **-e**.
You already know words like **stazione** and **ristorante**.
You can't tell from looking at these words whether to use **la**
or **il** in front of them, you just have to learn them.
If you can't remember whether a word takes **il** or **la**, look it
up in a dictionary.

   La words will have (**sf**), (**f**) or (**nf**) written in brackets
   beside them.
   Il words will have (**sm**), (**m**) or (**nm**) written in brackets
   beside them.

The **f** in the dictionary stands for *feminine*, and the **m** for
masculine. When people are talking or writing about the
Italian language, **la** words are referred to as *feminine*, and **il**
words as *masculine*. For example, you could say that, in Italian,
spiaggia is *feminine*, and **parco** is *masculine*.

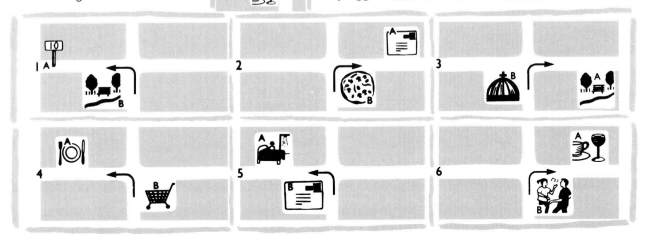

Esercizio 1

Look at a page from an Italian-English dictionary.

Look for words which are names of people, places or things.

How many can you find which end with **-e**?

How many of them are _masculine_?

How many of them are _feminine_?

Esercizio 2

Can you remember whether **stazione** and **ristorante** are _feminine_ or _masculine_? If you're not certain, look them up.

Here are some more words for places and things which end in **-e**.

Find out whether each one is masculine or feminine, and copy it out putting either **il** or **la** in front.

Esempio: **la** cattedrale (f)   _cathedral_

___	latte	_milk_
___	limone	_lemon_
___	colazione	_breakfast_
___	pane	_bread_
___	carne	_meat_

▨▨ 6ª Unità ▨▨

Talking about more than one thing (plurals)

Prima parte

Have you noticed how to talk about more than one thing in Italian?

1a C'è una **pizzeria** qui vicino?
   b Ci sono due **pizzerie** sulla piazza.

2a Vorrei un **biglietto** per l'autobus.
   b Mi dà un blocchetto da dieci **biglietti**.

3a Prendo questa **cartolina**.
   b Quanto costano le **cartoline**?

4a Mi dà un **francobollo** da 500 lire.
   b Vorrei due **francobolli** da 50 lire.

Did you notice what happens when you talk about more than one thing or place in Italian?

When you talk about one thing in Italian, the word usually ends in **-o** or **-a**. When you talk about more than one thing, the **-o** ending changes to **-i** and the **-a** ending changes to **-e**.

Esempio:

un quaderno	due quaderni
un supermercato	tre supermercati
una penna	cinque penne
una matita	quattro matite

Esercizio 1

Can you complete this table?

1	una piscina	due	_____
2	una piazza	due	_____
3	un libro	quattro	_____
4	un quaderno	tre	_____
5	una penna	sei	_____
6	una _____	due matite	
7	un _____	tre supermercati	
8	una _____	cinque lettere	
9	un monumento	una lista dei	_____
10	il _____ di Mestre	i porti di Genova e Livorno	

> **Lido di Jesolo** è situato a 15 chilometri da Venezia. Ci sono molte cose da fare e da vedere. Per i turisti ci sono moltissimi alberghi e quattro campeggi.
>
> Nell'isola pedonale si trovano più di trenta ristoranti e pizzerie.
>
> Ci sono due mercati: uno a Jesolo Centro e l'altro a Cortellazzo.
>
> Per chi vuole comprare dei souvenirs, troverete cartoline ed articoli artigianali in tutte le tabaccherie ed anche nei grandi supermercati.

Esercizio 2

Here is an extract from a brochure about Lido di Jesolo. A friend of yours is going there on holiday. What would you tell him about Jesolo and what it has to offer? Make a list in English of the places you would mention.

Esercizio 3

In questa cartella ci sono:

quattro matite   due penne   tre libri.

Tell your partner what you have got in your school bag:
Nella mia cartella ci sono...

Can your partner remember all the items you mention? He/She should write down a list in English to prove it.

1	la fermata	___	fermate
2	___ castello		i castelli
3	___ piscina		le piscine
4	il museo	___	musei vaticani
5	___ ___		le banche
6	___ ___	___	cartelle
7	il quaderno	___	___
8	___ penna	___	___
9	___ monumento	___	___
10	___ ___	___	campeggi

ATTENZIONE!

In written Italian, words which end in | -co | | -chi |
| -go | change to | -ghi | in the pural
| -ca | | -che |
| -ga | | -ghe |

Esempio:

un parco   due parchi
un albergo   tre alberghi
una banca   due banche

Words which end in | -io | change to | -i | and not | -ii |
| -ia | | -e | | -ie |

Esempio:

un campeggio   i campeggi di Rimini
una spiaggia   le spiagge della Riviera

Seconda parte

How many words have you come across so far which mean *the*?
Look at these sentences:

1a Dov'è il museo?
  b I musei sono aperti dalle 9 alle 13 e dalle 15 alle 19.

2a La piscina è qui.
  b Le piscine di questi alberghi sono grandi.

3a Roberta, ecco il biglietto.
  b Quanto costano i biglietti?

4a È questa la cartolina per Anna?
  b Dove sono le cartoline?

There are four words meaning *the* in these sentences:
il, **i**, **la** and **le**.

Can you work out when each one is used?

Look at these examples:

il parco   i parchi
il francobollo   i francobolli
il supermercato   i supermercati
la cartolina   le cartoline
la pizzeria   le pizzerie
la discoteca   le discoteche

| il | changes to | i | when you are talking about more than
| la | | le | one thing or place.

The word ending helps you to tell which *the* word to use.

Esercizio 4

Use the clues in the words given to help you complete the grid above.

Esercizio 5

Use the clues to help you complete these sentences.

1. Qui c'è un museo. È ___ museo archeologico.
2. Qui c'è una banca. È ___ Banca Toscana.
3. Qui c'è una fermata dell'autobus. È ___ fermata per il castello.
4. A Rimini ci sono quattro campeggi. ___ campeggi non sono in centro.
5. A Rimini ci sono molte pizzerie. ___ pizzerie sono aperte dalle 19 alle 23.
6. A Rimini c'è una bella spiaggia. ___ spiaggia è lunga quindici chilometri.
7. A Rimini c'è un parco? Sì, ___ parco è vicino all'Ufficio Turistico.

Esercizio 6

Practise asking where these things and places are.

Esempio: **Dov'è** la fermata dell'autobus? **Dove sono** i francobolli?

1.   2.   3.   4.   5.
6.   7.   8.   9.   10.

Sommario

This grid will help you to remember the main points of this unit:

il	___ o	→	i	___ i
la	___ a	→	le	___ e

Using **non**

One of the most important things to be able to do in any language is to be able to explain when things are _not_ going well: when you do _not_ understand something, when you do _not_ remember an answer, when you have _not_ got the thing you need or when you do _not_ intend to do something, for example.

Prima parte

Look at the sentences below.
Can you work out how to say _not_ in Italian? Remember that, in English, _not_ is often shortened to _-n't_ as in _don't, haven't, can't, isn't, won't._

Non ho capito.   È questa la fermata per il mercato?
Non ho una penna.   No, non è questa; è la prossima.

Il bar non è aperto.

The word for _not_ in Italian is **non**.
Can you work out where **non** goes in sentences in Italian? Here are some examples:

> **Non** avete una pianta di Rimini, allora?
> L'italiano **non** è difficile.
> **Non** deve girare a destra. Deve andare sempre dritto.

In most cases, the word **non** goes before the verb in the sentence.

Esercizio 1

Make up at least five sentences for each of the pictures below to say what the things are _not_.

Esempio:

<u>È un biglietto per l'autobus.</u>
Non è un francobollo. Non è una cartolina. Non è grande. Non è una fermata dell'autobus. Non è inglese.

1. È una tazza di tè al limone.

2. È un supermercato.

3. È un quaderno.

4. È un francobollo.

Seconda parte

Now look at these sentences. Do you notice anything different in them?

Mi piace la cioccolata.   **Non** mi piace il tè.
Mi piace il castello.   **Non** mi piace il museo.

Mi piacciono i cornetti.   **Non** mi piacciono i toast.
Mi piacciono le cartoline   **Non** mi piacciono le cartoline
  dell'albergo.   della spiaggia.

When you are talking about things you don't like, the **non** goes directly before **mi** and not before **piace** or **piacciono**. A similar thing happens when you are asking a friend if he or she doesn't like something.

Non ti piace il tè?
Non ti piacciono queste cartoline?
Non ti piace questa pizzeria?

Non goes directly before **ti** and not before **piace** or **piacciono**.

Esercizio 2

Matilde only likes hot drinks which have milk in them, and soft drinks which are based on fruits. Write a sentence for each of the drinks below to show what Matilde would say.

Esempio:
Mi piace la cioccolata.   Non mi piace la birra.

1.   **2.**   **3.**   **4.**   **5.**   **6.**

Esercizio 3

Work with a partner and find out if he/she likes the things in the list below. Keep a note of all the things he/she says he/she doesn't like.

Esempio:
   Tu: Ti piace la coca cola?
Partner: No, non mi piace la coca cola.
   Tu: Ti piacciono le paste?
Partner: Sì, mi piacciono le paste.

1. coca cola **2.** cakes **3.** croissants **4.** tea with milk **5.** toasted sandwiches **6.** ham rolls **7.** beer **8.** espresso coffee **9.** cheese sandwich **10.** red wine

a. _____ b. _____ c. _____ d. _____ e. _____

Esercizio 4

You are quite surprised that your partner doesn't like the things you discovered in exercise 3, and so you check that you heard correctly. Ask your partner a question for each of the items he/she dislikes, expressing your surprise.

Esempio:

Tu: Non ti piace la coca cola?
Partner: No, non mi piace.
Tu: Non ti piacciono i cornetti?
Partner: No, non mi piacciono.

Sommario

Non in Italian means *not*.
Non usually goes immediately *before the verb* in the sentence:
  Non ho una penna.
  Non è questa fermata, è la prossima.

If the verb has a word like **mi** or **ti** before it, then **non** goes before **mi** or **ti**.
  Non mi piacciono i tramezzini al prosciutto.
  Non ti piace questa discoteca.

Using **Un'**

You already know that you use **un** before words which end in **-o** (e.g. un albergo) and **una** before words which end in **-a** (e.g. una banca).

But what happens when a word which ends in **-a** starts with a vowel? Look at these examples:

| una birra | una pizzeria | una coca cola |
| un'aranciata | un'azienda di turismo | un'acqua minerale |

The **a** of **una** disappears, and an apostrophe is put in its place. The apostrophe shows that **un** is in fact short for **una**.

Don't get confused between **un** and **un'**:
un is only for words which end in **-o** (masculine)
un' is only for words which end in **-a** (feminine)

Un' is used much less often than **un**. To show you how few **un'** words there are, here is a list all the most common **un'** words you need to learn in the next few months. Notice that they all start with a vowel (**a, e, i, o** or **u**) and end in **-a**.

1. un'azienda di turismo 3. un'aranciata 5. un'insalata
2. un'acqua minerale 4. un'arancia 6. un'aspirina

Esercizio 1

Can you label each of the pictures above?

Sommario

Here is a grid showing all the different words for *a*:

	words which end in **-o** (masculine)	words which end in **-a** (feminine)
words which start with a consonant	**un**	**una**
words which start with a vowel **(a,e,i,o,u)**	**un**	**un'**

8ª Unità

Describing people, places and things

Prima parte

Look at these pairs of sentences.
What kind of information is given by the words which are underlined?

1a What's the beach in Rimini like?
 b Well. . .it's <u>long</u>, <u>clean</u> and <u>busy</u>. It's <u>great</u>.
2a Which dialogue have we got to read?
 b <u>This</u> dialogue.
3a What do you think of Eros Ramazzotti?
 b He's <u>good-looking</u>, but he's a bit <u>arrogant</u>.
4a Did you buy any of <u>those</u> postcards?
 b Yes, I bought two of the <u>little</u> ones.
5a What kind of stamps do you collect?
 b <u>Italian</u> and <u>Vatican</u> stamps.
6a So you're <u>English</u>, then!
 b No, I'm <u>Scottish</u>.

Did you notice that the underlined words gave additional information about the thing, the place or the person being talked about?
These words are called adjectives.
Adjectives are used to describe people, places and things. They help you to find out what people, places and things are like, or to work out what kind they are, or which of two or more people, places or things are being referred to.

Esercizio I

Write down the adjectives in the sentences on the right which provide additional information about the underlined words on the left.

1. Ti presento <u>Kathy</u>.   Kathy è australiana.
2. Vorrei un bicchiere di <u>vino</u>.   Prendo un bicchiere di vino rosso.
3. Ecco il <u>museo</u>.   È il museo civico.
4. Andiamo a <u>Fiabilandia</u>!   Sì, è fantastica.
5. Prendo cinque <u>cartoline</u>.   Prendo due cartoline grandi e tre cartoline piccole.
6. Ti piace l'<u>italiano</u>?   Sì, certo. L'italiano non è difficile.

Seconda parte

Now look at these sentences. What do you notice about the adjectives in them?

Mario è italiano.	Robert è americano.
Cinzia è italiana.	Helen è americana.

Did you notice that if the adjective describes a male it ends in **-o**, and if the adjective describes a female it ends in **-a**? Now look at these sentences in which things and places are described.

Questo francobollo è americano.
Questa cartolina è americana.
Ecco un supermercato italiano.
Ecco una banca americana.

Did you notice that the same thing happens? If the adjective describes a thing or a place which is an **il** word such as **il francobollo** or **il supermercato**, it ends in **-o**.
If the adjective describes a thing or a place which is a **la** word such as **la cartolina** or **la banca** it ends in **-a**. Very often, the place or thing ends in **-o** or **-a** too.

Here are some more examples:
Quest**o** francoboll**o** è ross**o**.
Vorrei un vin**o** bianc**o**, per favore.
Quest**a** pizzeri**a** è molto piccol**a**.
Vorrei un**a** penn**a** ross**a**.

Esercizio 2

Use the clues in these sentences to help you decide which form of the adjective to use. The adjectives are given in the box below.

lungo	aperto	romano	australiano	rosso
lunga	aperta	romana	australiana	rossa

1.
Ecco un francobollo _____.

2.
La pizzeria Rusticana non è _____.

3.
Vorrei un bicchiere di vino _____.

4.
L'Arco d' Augusto è un monumento _____.

5.
La spiaggia a Rimini è molto _____.

The sentences which follow all contain adjectives too. Do you notice anything different about them?

Paul è **inglese**.	François è **francese**.
Jane è **inglese**.	Nadine è **francese**.
L'albergo Bristol non è molto **grande**.	
La discoteca in Via Verdi è molto **grande**.	

Did you notice that adjectives like **inglese**, **francese** and **grande** stay the same whether they are referring to a male or a female or to a word which ends in either **-o** or **-a**?

Sommario

A

Adjectives which end in **-o** also have a form which ends in **-a**.
e.g. italian**o**, italian**a**
        american**o**, american**a**
        piccol**o**, piccol**a**.
Use the **-o** form to describe males and/or **il** words and words ending in **-o**.
Use the **-a** form to describe females and/or **la** words and words ending in **-a**.
e.g. Paolo è italian**o**.   Anna Maria è italian**a**.

Il duom**o** è apert**o** dalle 8 alle 13.
La banc**a** è apert**a** dalle 8.30 alle 13.30.

B

Adjectives which end in **-e** do not change when you are describing a person, a place or a thing.
e.g. Sean è scozzes**e**.   Jacqui è scozzes**e**.
        Il muse**o** è grand**e**.   **La** spiagg**ia** di Rimini è grand**e**.

grande	aperto	vaticano
piccolo	italiano	splendido
questo	francese	importante
bianco	irlandese	australiano
romano	gallese	americano
rosso	scozzese	inglese

sono	I am
sei	you are (to one person)
io sono	*I* am
tu sei	*you* are (to one person)
sono...?	am I...?
sei...?	are you...?

Esercizio 3

How many different descriptions can you make up for these illustrations? Use the adjectives in the box as many times as you can, remembering to alter the endings where necessary.

Esempio: Stefano è italiano.   Stefano non è grande.
        Stefano è piccolo.   Stefano non è irlandese.
                            Stefano non è americano.

1.
Questa cartolina _____.

2.
È una bottiglia di vino _____.

3.
La banca _____.

4.
Ecco un francobollo _____.

5.
_____ monumento è _____.

Using parts of the verb essere

Prima parte

When people are introducing themselves, they often use the words **sono** and **sei**. What do **sono** and **sei** mean? Look at these examples:

> Io sono Nadia.
> Ciao! Sei italiana?
> No, sono francese.
> Di dove sei?
> Sono di Parigi.

Sono and **sei** are parts of the verb **essere** (*to be*).
Sono means *I am*, or *am I* in a question.
Sei means *you are*, or *are you* in a question.
You only use **sei** when you are talking to one person whom you call by their first name.

Io sono is a way of saying *I am* which puts more emphasis on the *I*.
In the same way you can put **tu** in front of **sei** to mean *you* are.

Esercizio 1

Here is a conversation between a boy and a girl who meet at a party. Can you fill in the gaps?

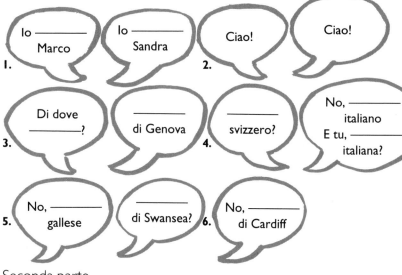

Seconda parte

In the conversation in exercise 1, Sandra and Marco are on first name terms. In a more formal situation, when people call each other **signore** and **signora**, they don't call each other **tu**, but **Lei**. **Lei** is a more formal word for *you*, and is usually written with a capital **L**.

Here is a more formal way of having the same conversation as in exercise 1. Which part of **essere** is used with **Lei**?

Esercizio 2

Can you write out the rest of the conversation? Look back at exercise 1, but remember that this time they will say **Lei è** instead of **tu sei**. **È** is always written with an accent, so that it doesn't get confused with **e**, which means *and*.

Terza parte

Here are some examples of other uses of **è**. Can you think of a situation when you might hear each one?

Quando è aperto?

Questa è Natasha?

Dov'è la banca?

Karl è tedesco

È americana

Quant' è?

È questo l'autobus che va al castello?

È sulla sinistra

As well as *you are*, **è** means *it is*, *he is*, *she is* and just *is*. In a question, it can mean *is it*, *is he*, or *is she*.

Esercizio 3

This is how Sandra and Marco's conversation continued, except that the bubbles are in the wrong order. Can you write them out correctly?

Cardiff è una grande città?

Si, è un grande porto

È nel nord o nel sud d'Italia?

È lontano da Londra?

Si, è abbastanza grande

È nel nord

Abbastanza lontano. Genova, è una grande città?

Esercizio 4

To see how well you understand **sono**, **sei** and **è**, for each question can you find an answer that makes sense?

1.	Di dove sei?	**a.**	No, è Antonella.
2.	Dove sei?	**b.**	Sì, cosa desidera?
3.	Questa è Carla?	**c.**	No, sono irlandese.
4.	È questa la discoteca?	**d.**	Sono di New York.
5.	Sei tedesco?	**e.**	No, è scozzese.
6.	Robbie è gallese?	**f.**	Sei a Rimini.
7.	Dove sono io?	**g.**	No, sono Marcello.
8.	Scusi, il bar è aperto?	**h.**	Sono a Roma.
9.	Dov'è il campeggio?	**i.**	È vicino alla spiaggia.
10.	Sei Enrico?	**j.**	Sì. Ti piace ballare?

Sommario

(io) sono	I am
(tu) sei	you are (informal, to one person)
(Lei) è	you are (formal, to one person)
è	is, it is, he is, she is

Esercizio 5

Fill in the gaps in these sentences with **sono**, **sei** or **è**.

1. Lei _____ francese?
2. Io _____ americano.
3. _____ questo il museo?
4. Tu _____ di Roma?
5. Dov' _____ il campeggio?
6. Stephen _____ australiano.
7. Rita, di dove _____ ?
8. Signora Battisti, di dov' _____?
9. Io abito a Londra, ma _____ di Doncaster.
10. Tu abiti a Doncaster, ma _____ di Londra.